미녀와 야채

저자

시니어 야채 소믈리에 나카무라 케이코

도서출판 정 다와

미녀만이 알고 있는
야채와 사귀는 방법

실연의 충격으로 도넛 폭식, 살이 15kg 찌다.

그 후, 무리한 식사 제한 다이어트 강행으로 요요현상 반복.

20대인데도 불구하고 거친 피부와 팔자주름, 새치로 고민하는 나날...

이것은 예전의 '저' 입니다.

살이 빠질 것이라고 믿고 매일 양상추만 먹던 나. 사랑도 일도 모든 것이 잘

풀리지 않고 과도한 스트레스와 불면증으로 앞이 보이지 않는, 인생에 몸도 마

음도 너덜너덜한 상태였습니다.

　이런 모습을 보다 못한 친구가 어느 날, "야채에 대해 배워 보는 건 어때?" 하며, 야채·과일의 감정, 보관방법, 영양가, 요리방법 등을 배우고 전하는 '야채 소믈리에' 자격증이 있다고 가르쳐주었습니다.

　어떻게든 지금의 상황을 바꿔야 한다고 생각하고 있던 저는 바로 '야채 학교'로 달려갔습니다.

"토마토를 사면 물에 띄워보세요."

"물에 떠 있는 것보다 가라앉은 것이 더 달아요."

첫 수업에서 가장 인상에 깊게 남은 내용입니다.

정말 그럴까? 마트에서 사 온 토마토로 바로 실험을 했습니다. 그리고 그동안 억지로 먹던 야채를 처음으로 설레는 마음으로 먹었습니다.

야채에 대해 배운다는 것은 저에게는 놀라움과 감동의 연속이었습니다. 점점 열중하게 되어, 세 번의 불합격, 좌절과 슬럼프를 반복하면서도 5년이라는 긴 시간 끝에 드디어 '야채 소믈리에' 자격증을 취득했습니다.

무엇을 해도 어중간 했던 제가 야채를 계기로 '인생'을 180도 바꾼 순간. 목표를 달성하는 기쁨을 처음으로 알게 되었고, 그것은 모든 일에 자신감으로 이어졌습니다.

야채와 사귀는 법을 알게 된 덕분에 어느새 괴로운 요요현상도 끝이 났고, 특별히 다이어트를 하지 않아도 벌써 7년째 이상적인 몸무게를 유지하고 있습니다.

야채 미녀가 되는 **7**가지 방법

1/ '야채 습관'을 몸에 익혀
편안하게 평생 미인선언!

2/ 영양소나 칼로리를
너무 신경 쓰지 말 것

3/ '요리 못 한다', '시간이 없다'는
말은 하지 않기♡

4/ 정말 맛있는 것을 아는
혀를 연마한다

5/ '사랑'도 '아름다움'도
야채로 이루어진다고 믿는다

6/ '제철'을 느끼는
마음의 여유를 갖는다

7/ 소중한 사람과 웃는 얼굴로
식사를 즐긴다

도넛으로 채운 마음의 구멍

　대학생 시절, 짝사랑한 사람에게 차였습니다. 흔히 있는 이야기지만, 막상 제게 일어나니 정말 슬펐습니다. 마음에 난 구멍을 채우기라도 하듯 매일 도넛을 먹었고 순식간에 살이 15kg가 쪘습니다.

　"어, 살 쪘어."하는 친구들의 충격적인 한 마디가 계기가 되어 토끼도 질릴만한 '양상추 생활'을 시작했습니다. '다이어트에는 양상추 식이섬유가 좋다'는 말을 믿고 혼자 있을 때는 '시든 양상추'를 가득 담아 계속 먹었습니다. 그 반작용으로 친구와 만날 때는 과자나 튀김을 폭식했습니다. 죄책감과 자기혐오로 괴로워하면서 5~8kg이 쪘다 빠졌다 하는 요요현상을 반복하는 암흑시대가 시작됐습니다.

　더욱이 이 무렵 평소 꿈이었던 여배우가 되기 위해 연예기획사에 소속되면서 '아름다워지고 싶다'는 마음은 더욱 커지고 상황은 악화.

　여배우의 본질을 잊고 연기가 아니라 겉모습의 아름다움만을 신경 썼고, 자신감 없는 모습을 숨기기 위해 화려한 화장이나 패션으로 몸을 감쌌습니다.

　당연히 그런 저에게 여배우로서의 일이 있을 리 없고, 프리터(정규직 이외의 취업 형태, 프리랜서와 아르바이터의 합성어)생활이 이어졌습니다. 친구들은 모두 취직해서 빛을 더해가고 있는데, 저 혼자 내일이 오는 것이 두려워서 매일 아침 5시까지 잠들지 못하는 날이 이어졌습니다.

　유일하게 갖고 있었던 것은 '나는 여배우라서 아름다워야 한다'는 작은 프라

이드뿐. 그것을 지키기 위해 무리하게 야채만 계속 먹어서 한 달에 한 번은 심한 감기를 앓고, 길게는 한 달 동안 매일 감기약을 먹기도 했습니다.

이러한 흐트러진 식생활과 스트레스는 20대였던 제 입가에 팔자주름을 만들고 새치를 만들었습니다. 이 때 하얗게 된 부분은 지금도 남아 있습니다.

하루 목표 야채량은 350g

상세한 내용은 30페이지

'야채를 먹어야 해'를
'야채를 먹고 싶다'로 바꾼다

요요현상과 거친 피부... 이러한 상황을 만들어 낸 원인 중 하나가 바로 '야채에 대한 착각' 이었습니다.

'야채 = 아름다움' 이라는 이미지가 너무나 강한 나머지 '야채만 먹으면 아름다워진다' 는 확신이 있었습니다. 제 1장에서 자세히 해설하겠지만, 야채를 아무리 많이 먹어도 다른 영양소가 부족하면 야채 파워를 살리기가 어려워집니다.

'야채를 먹어야 한다' 는 믿음에 야채를 아름다움의 할당량이나 의무로 생각하던 시기도 있었습니다. 좋아하지 않는 것을 억지로 먹는 것만큼 힘든 일은 없습니다.

야채에 대해 배우고 가장 크게 변한 것은 '야채를 먹고 싶다' 고 생각할 수 있게 된 것입니다. 좋아하게 됨으로써 자연스럽게 손이 가고, 두근두근 즐거운 마음으로 먹게 되고 그러한 순간이 많아질수록 어느새 아름다움의 마법에 걸리게 됩니다.

야채는 아름다움의 할당량이 아니라 '화장', '패션' 과 마찬가지로 여성을 아름답고, 빛나게 하는 아이템 중 하나입니다.

게다가 야채는 소중한 사람의 건강을 서포트하고 '즐거운 식사' 를 연출해주는 존재입니다.

자기 자신뿐만 아니라 주변 사람들까지 빛나게 할 수 있는 사람이 '새 시대의 미인' 이라고 생각합니다.

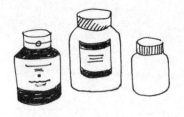

상세한 내용은 32페이지

Purple 보라색(紫)

포도, 블루베리 등 자주색에 포함되는 항산화물질로 폴리페놀의 일종인 '안토시아닌'이 일반적. 오래 전부터 노화방지 케어 및 시력과의 관계가 기대되고 있다. 가지 껍질의 보라색은 안토시아닌계 '나스닌'.

Green 초록색(綠)

녹황색야채, 특히 소송채, 시금치에 포함된 녹색의 색소성분 '클로로필'. 강한 항산화작용을 가지고 있으며, 건강 효과가 기대되는 믿음직한 존재. 소취, 살균 효과도 주목된다.

색깔야채는
건강기능식품이다!

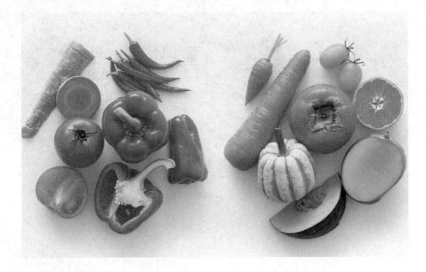

Red 빨간색(赤)

대표적인 것은 토마토, 수박 등에 포함된 적색 색소 '리코핀'. 강한 항산화작용을 가지고 있으며, '가열'에 강하고, '양질의 오일'과 같이 섭취함으로써 흡수율이 업! 그 외에 빨간 피망, 빨간 고추의 '캡산틴' 등.

Orange 오렌지

당근, 호박의 주황색에 포함된 '베타카로틴'이 유명하다. 몸속에서는 필요에 따라 비타민 A로도 활약! 건성피부 개선이나 감기 예방에도 효과적이라고 한다.

빨간 파프리카 속 닭고기 구이

피로가 피부로 나타났을 때는 '피망 고기구이'의 '피망'을

비타민C가 풍부한 '파프리카'로 바꿔 보기를 권합니다.

(조리법은 112페이지)

맛있게 먹고
아름다워지는 레시피

쑥갓 고기말이 밥

미녀는 '향 야채'로 향기롭게!

신선한 쑥갓은 생으로 먹으면 맛있고,

고기와의 궁합도 OK

(조리법은 97페이지)

토마토 잼

(노랑, 빨간, 초록 잼)

토마토 색깔에 따라 다른 풍미.

설탕량을 조절해서 건강하게!

(조리법은 43페이지)

단호박 빵가루 구이

단호박에 포함된 베타카로틴은 양질의

오일과 함께 곁들이면

피부에도 기분 좋은 효과를!

(조리법은 159페이지)

자, 즐겁게 먹고
'아름다움' 도 '행복' 도
손에 넣자!

야채를 먹으면 아름다움의 지름길이 된다. 그것을 알았다.

그래도 집에 가서 야채를 씻고 자르는 작업은 귀찮다.

혼자 살기 때문에 야채를 사도 항상 남게 된다.

맛있게 먹는 방법도 모르고, 요리도 잘 못해요!

이런 목소리가 들려오는 것 같습니다. 하지만 걱정하지 마세요.

제 모토는 '즐겁게, 맛있게, 아름답게!' 입니다.

본서에서 지금부터 소개하는 것은 요리를 전혀 못하고, 야채에 관심이 없었던 제가 스스로 '실천' 을 반복하면서 만들어낸 '야채' 를 통한 '아름다움' 과 '행복' 을 손에 넣는 방법입니다. 바빠서 요리를 잘 못해도, 매일 야채로 음식을 만들고 싶어지는 간단한 포인트와 야채를 먹는 것이 즐거워지는 정보입니다.

두근두근 설레면서 식사를 만들고, "아 맛있다!"고 감동하면서 먹으면 몸 안쪽부터 아름다워진다... 이러한 해피 사이클은 좀처럼 보기 힘들다고 생각합니다.

먹는 일은 인생에 있어서 가장 큰 즐거움입니다.

너무 거창하게 들릴지도 모르지만, 저는 진지합니다. (웃음)

왜냐하면 생각해보세요. 식사는 하루 세끼. 가족이 얼굴을 맞대는 일이 가장 많은 것도 식사 때. 연인과의 첫 데이트도 식사가 많을 것입니다. 직장에서도 팀으로 결속력을 높이기 위해 식사 자리가 마련됩니다.

그만큼 우리에게 '식(食)'이란 중요한 것이고, 생각보다 인생에서 차지하는 비중이 큰 것입니다. 저는 그러한 소중한 시간과 '야채'라는 아이템을 사용해서 '즐거운 식사 = 아름다움'을 실현하는 요령을 본서에서 전하고 싶습니다.

앞으로는 '아름다워지고 싶은 욕구'와 '식욕' 양쪽을 모두 만족시키면서 행복해질 시대입니다. '당신'의 인생이 보다 멋있어 지기를!

봄 여름 가을 겨울

좋은 점이 많은 제철 야채로
아름다워진다!

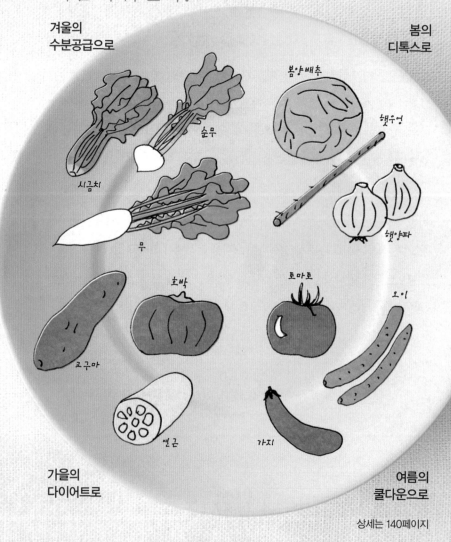

겨울의
수분공급으로

봄의
디톡스로

봄양배추

햇우엉

순무

시금치

무

햇양파

호박

토마토

오이

고구마

연근

가지

가을의
다이어트로

여름의
쿨다운으로

상세는 140페이지

■ 목차

제 1 장
야채를 먹으면 인생이 바뀐다!

제2장

알기만 하면 아름다워지는
야채의 기본

제3장

두 번 보게 되는 '매력'을
야채로 키운다

제 4장

'제철'을 사랑하는 여유가
'아름다움'을 낳는다

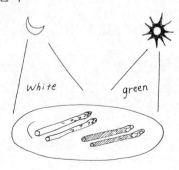

제 5 장

야채 미녀는
자신도 주변도 빛나게 한다

제 1 장

야채를 먹으면 인생이 바뀐다!

미녀는 절대로 하지 않는 '야채 먹는 방법'

프롤로그에서 말한 바와 같이 제가 '야채 다이어트'로 아름다움을 손에 넣으려고 했지만 결국 실패한 원인은 '야채에 대한 착각'에 있었습니다.

그 때마다 유행한 '○○만으로 다이어트'에 영향을 받아 제가 좋아하는 것을 참고 야채만 먹고 있었습니다. 밥이나 고기 등을 야채로 대체하고, 야채를 많이 먹고 공복을 채우면 아름다워진다고 믿고 있었습니다.

인간은 몸속에서 영양을 만들어낼 수 없습니다.

식사로 영양소를 섭취할 필요가 있는 것입니다. 몸을 움직이는 에너지가 되는 것은 주로 '탄수화물, 지방, 단백질'이라고 불리는 3대 영양소.

이것들을 원활하게 움직여주는 존재가 야채에 많이 포함된 '비타민, 미네랄'이라는 영양소입니다.

오직 '야채' 다이어트가 실패하는 이유

자기 생명을 지키는 것이 우리 몸의 최우선 미션입니다.

그래서 기능이 약해지면 생명이 위험해지는 심장이나 뇌에서부터 순서대로 영양을 보내게 됩니다. 우리가 아름다워지기 위해 의식하고 있는 '피부'는 다소 거칠어도 생명에 큰 영향은 없습니다.

예를 들어 '피부에는 딸기의 비타민C가 좋다'고 해서 딸기를 많이 먹더라도 다른 중요한 부분을 움직이기 위한 영양이 부족하면 그쪽으로 우선하여 흘러갈 가능성이 높습니다.

또한 '탄수화물, 지방, 단백질'이 안정적으로 공급되지 않을 때, 우리 몸은 '영양을 비축'하려고 합니다. 적은 에너지로도 생명을 지키기 위한 준비를 하기 때문에 살이 빠지기 어려운 몸이 되어갑니다.

아름다움을 위해서는 에너지원이 되는 3대 영양소를 충분히 섭취한 뒤, 여러 가지 야채를 먹을 필요가 있습니다. 야채는 '아름다움'을 위한 수단 중 하나일 뿐, 밸런스가 잡힌 식사 없이는 결코 아름다워질 수 없습니다.

아무리 야채가 미용, 건강에 좋다고 해도 야채로만 치우친 식생활로는 진정한 아름다움은 이루어질 수 없습니다.

'언밸런스 채식 여성'에게 없는 것은 '섹시함'

게다가 언밸런스한 식사로 잃게 되는 것이 있습니다.

그것은 '섹시함'입니다.

야채, 과일에 치우친 식생활을 지속하면 섹시함을 잃게 됩니다. 섹시함의 정의는 사람마다 다르지만, 여기서 이야기하는 섹시함이란 '윤기가 있고, 촉촉한 분위기를 가지고 있으면서 나도 모르게 매료되는 매력'을 말합니다.

말로 표현하기 어렵지만, 너무 관심이 가서 연예계에서 섹시한 여배우, 배우를 많이 만나는 분에게 물어본 적이 있습니다.

"섹시함이란 세상에서 정해져 있는 틀을 좀 뛰어넘는 경험을 해본 사람에게 생기는 것인지도 모르겠어요."

이렇게 생각하면 일반적으로 섹시함을 느끼는 사람이란 세상이 정한 암묵의 틀을 조금 뛰어넘는 '여유로움'이나 세상에 흔들리지 않는 '자기만의 기준'을 소중하게 생각하고 있는 사람일 것입니다.

매일 영양소, 칼로리를 꼬박꼬박 계산하고, 그 틀을 벗어나지 않도록 진지하게 먹는 사람은 건강할지 모릅니다. 하지만, 그것에 얽매여서 '먹는 즐거움'을 잊어버린 경우는 '섹시함이 있는 미녀'라고 말할 수 없지 않을까요?

본서에서는 야채 이외의 고기, 정크푸드, 단 것 등 당신이 좋아하는 것을 무리하게 참을 필요는 없다고 전하고 있습니다. 5페이지에서 설명한 '야채미녀가 되는 7가지 방법'과 먹는 일을 즐기면서 편하게 아름다워지는 방법을 소개합니다.

나이를 알 수 없는 여자는 야채를 '색깔'로 본다

저는 야채에 대해 배우기 전에 야채의 '색깔'을 신경 쓸 마음의 여유가 전혀 없었습니다. '야채라면 무엇이든 좋다' 이렇게 어설프게 파악하고 있었습니다.

하지만 그렇지 않습니다. 야채는 '녹황색야채'와 '담색야채' 2가지 색깔의 이미지로 나누어 생각하면 보다 밸런스 있게 섭취할 수 있습니다.

먹을 수 있는 부분 100g당 카로틴이 600μg 이상 포함되어 있는 야채를 '녹황색야채'라고 합니다. 카로틴의 일종인 베타카로틴은 몸속에 들어가면 필요한 만큼만 비타민A로 변신. 피부나 점막이 건조하지 않도록 지키고, 감기 예방과도 깊은 관계가 있다고 합니다.

녹황색야채 이외의 야채를 통틀어서 '담색야채'라고 합니다. 녹황색야채에 비해 아름다운 피부에 중요한 '비타민 C'가 풍부한 야채이며, 몸에 필요가 없는 것을 밖으로 배출해주는 '식이섬유'가 풍부한 야채가 대부분입니다.

녹황색야채

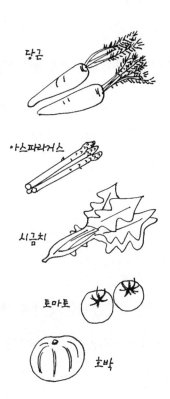

당근

아스파라거스

시금치

토마토

호박

담색야채

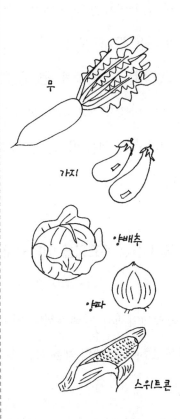

무

가지

양배추

양파

스위트콘

카로틴이 600㎍ 이상 포함되어 있는 야채. 전체적으로 색이 진한 야채가 많은 것이 특징. 토마토, 피망은 카로틴 양이 600㎍ 이하지만 일반적으로 자주 먹는 야채여서 녹황색야채로 취급한다.

녹황색야채 이외의 야채. 녹황색야채에 비해 '비타민 C'나 '식이섬유'가 풍부한 야채가 많다. 맛이 강하지 않고 먹기가 쉬우며, 가열하면 부피가 줄어서 많이 먹을 수 있는 것이 특징.

얼핏 보면 녹황색야채처럼 보이는 '여주'(Bitter gourd)는 담색야채, 담색야채인 듯한 아스파라거스는 녹황색야채에 분류되기 때문에 처음에는 구분하기가 어려울 수도 있습니다.

그럴 때는 그 야채를 잘랐을 때의 단면을 이미지화 해보세요. 단면 색이 바깥 껍질과 같이 속까지 진한 것이 녹황색야채, 반대로 속이 연하고 흰 색을 띠고 있는 것은 담색야채라고 생각하면 알기 쉽습니다.

하루의 섭취 목표량을 이미지 한다

녹황색야채와 담색야채의 이미지를 파악했다면, 다음은 하루에 목표로 하는 야채의 양을 아는 것이 야채미녀가 되는 첫걸음입니다.

'야채 350g (그 중 녹황색야채 120g, 담색야채 230g)'

이것은 후생노동성이 권장하는 국민 건강 만들기 운동 '건강일본 21'에서 내세우고 있는 야채 섭취 목표량입니다. 야채 350g의 이미지는 8페이지 사진을 참고하십시오.

예를 들어 일본의 정식 식탁에 올라와 있는 작은 접시를 이미지화 해보세요.

350g 야채를 5개 접시로 나누면 접시 하나에는 70g 야채가 올라갑니다.

야채의 섭취 목표량은 한 접시 70g의 야채를 하루에 5접시 먹는 이미지인데, 이 70g이라는 숫자는 일본 정식의 작은 접시 하나 정도일 경우가 많습니다. 데친 시금치나 단호박 조림, 채썰기한 양배추 등 한줌을 기준으로 생각하면 됩니다.

어떻게 하면 일상생활에 그렇게 많은 야채를 섭취할 수 있는지는 제2장부터 자세히 소개하겠습니다.

머리로는 하루 350g의 이미지를 만들었다고 해도, 매일 계속 이어져가는 것은 어려운 일. 그럴 때는 1주일 안에서 조절하면 충분합니다.

예를 들어 환영회, 송별회 시즌에 수요일부터 회식이 3일간 계속되었다면, 먼저 열심히 살아 온 자기 자신을 칭찬한다! 그리고 토요일 하루는 야채 DAY로 정해서 '350g의 야채를 의식적으로 먹고 있는 자신'을 즐겨주십시오.

'야채'는 '패션'과 같다

야채의 '색깔'과 '아름다움'은 뗄 레야 뗄 수 없는 관계입니다.

전항에서는 '녹황색야채', '담색야채' 같이 야채의 색을 농도로 구분했는데, 이번에는 '빨강', '오렌지', '초록', '보라' 등 색깔을 하나씩 주목해보려고 합니다.

야채에 포함된 영양소는 비타민, 미네랄이 메인인데, 실은 그 외에도 최근 주목을 받고 있는 '피토케미컬'이라고 하는 기능성 성분이 있습니다.

이것은 주로 야채의 색깔, 향, 쓴맛 등에 관여하고 있고, 몸을 움직이는 에너지가 되는 것은 아니지만 항산화작용이 높아 다양한 효과가 기대되어 연구되고 있습니다. 특히 노화방지 케어 분야의 주목도가 높아서 우리 몸을 녹슬게 하고 노화의 원인으로 알려진 '활성산소'와 싸워 언제까지나 젊고 아름다운 여성으로 이끌어준다고 합니다.

야채의 서바이벌 힘을 받는다

이러한 피토케미컬은 야채 자신의 서바이벌 경험에서 생깁니다.

당연하지만 야채나 과일을 비롯한 식물은 적이 오거나 자외선 및 비바람에 노출되어도 스스로 움직여 도망칠 수는 없습니다.

잠깐 식물들의 마음을 상상해보세요.

자외선을 비롯한 어려운 환경. 자신을 노리고 있는 해충과 여러 가지 균들. 주변에는 항상 적들뿐! 자연계에서는 우리가 놀랄만한 싸움이 벌어지고 있습니다.

그래서 피토케미컬은 이러한 환경에서 살아남기 위해 식물 자신이 만들어낸 지혜의 하나입니다. 야채 과일은 자신이 움직일 수 없기 때문에 강하고, 숨겨진 파워를 알 수 없으므로 다양한 효과가 기대되는 것도 이해할 수 있습니다.

우리는 이러한 야채들의 연구와 노력을 받는 것이므로 하나하나 감사하고 즐기면서 먹어야 합니다.

피토케미컬의 종류는 수천 종류가 된다고 합니다.

프롤로그 10페이지에서 '야채의 색깔'에 대해 소개하였는데요,

여기서 소개하고 있는 '리코핀', '베타카로틴', '안토시아닌' 등은 피토케미컬의 한 종류입니다.

10페이지에서 소개한 것은 야채의 대표적인 색소성분이기 때문에 참고하십시오.

1주일의 식사를 사진으로 찍어본다

평소에 아무생각 없이 먹고 있는 야채는 의식하지 않으면 한 색깔에 치우치게 됩니다.

매일 하는 식사의 색깔을 알려면 1주일 식사를 사진에 찍어보기를 추천합니다.

지금은 스마트폰으로 누구든지 쉽게 사진을 찍을 수 있고, 한눈에 보기 쉽기 때문에 빨간색에 치우쳐 있거나 초록색에 치우쳐 있는 자신의 취향을 쉽게 발견하게 됩니다.

저는 야채와 패션은 비슷하다고 생각하고 있습니다. 매일 같은 옷이나 색깔을 몸에 지니고 다니지 않는 것과 같이, 야채도 매 끼니마다 다른 색깔로 먹는 편이 즐겁고 밸런스도 잡혀서 아름답고 매력적으로 변합니다.

전신을 '화이트', '블랙' 모노톤으로 통일하는 패션도 멋있지만,
악센트 칼라로 빨간색이나 노란색을 넣으면 멋진 옷차림이 되기도
하죠.

때로는 패션 감각으로 야채 색깔에 주목하고, 눈앞의 한 접시를
즐겁게 코디 해보세요.

편의점의 야채주스부터 시작해도 좋다

"편의점 야채주스를 마셔도 야채를 섭취했다고 할 수 있습니까?"

기업에서 강좌를 열면 혼자 사는 남성에게서 자주 받는 질문입니다. 저는 야채 부족으로 스트레스를 느낄 정도라면 식생활의 '서포트 역할'로 주스를 마시는 것도 하나의 방법이라고 전하고 있습니다.

먼저 야채의 효과를 실감하는 것이 중요하다

2년 전, 저의 친구가 손가락의 피부가 벗겨져 너덜너덜해진다고 고민하고 있었습니다.

이야기를 들어보니 일 때문에 집에 가는 시간은 매일 밤 10시가 넘고, 아침 점심 저녁 식사는 거의 외식. 회사 접대도 많아서 술과 안주, 그리고 마무리는 탄수화물이라는 식생활이 계속 이어져 야채를 거의 먹지 못하는 상태였습니다. 가끔 먹는 야채는 정식에 있는 채썰기한 양배추 등 색깔이 연한 야채가 많아 확실히 '야채 부족'인 것을 알게 되었습니다.

그 중에서도 '녹황색야채'는 피부나 점막을 지키는 것과 깊은 관계가 있습니다. 거친 피부나 건성피부로 고민하는 분 중에는 녹황색야채가 부족한 경우가 많습니다.

그러나 녹황색야채가 부족하다는 걸 알고 있어도 녹황색야채는 조리하는 시간이 길고 손이 많이 가기 때문에 귀가 후 피곤한 상태에서 먹기란 어렵습니다.

그래서 저는 그 친구에게 생각 났을 때라도 좋으니 편의점의 야채주스를 마시는 것을 제안했습니다. 야채주스 패키지에 기재된 원재료 명을 봐도 알 수 있듯 종류에 따라 야채 100%, 설탕 및 소금은 사용하지 않는 것도 있습니다.

친구는 바로 생각이 날 때마다 하루에 한 병씩 편의점의 야채주스를 마셨고, 그 결과 2주 정도 지나자 너덜너덜했던 손가락에 변화가 나타났다고 합니다.

"역시 야채는 대단하네!"

감동한 친구는 편의점의 야채주스도 마시면서, 바빠도 시간을 내어 요리를 하기 시작했습니다. 야채를 사와서 자르고, 데치고, 볶고 하는 간단한 일이지만, 야채를 습관화하기 시작했습니다.

이 에피소드에서 전하고 싶은 것은 편의점의 야채주스만 마시면 OK가 아니라 '야채로 아름다움을 만들기 위한 첫 걸음'은 작아도 괜찮다는 점입니다.

저는 예전에 야채 부족으로 고민할 때는 한꺼번에 많은 야채를 사와 요리를 시작했었습니다. 야채가 부족하다는 초조함에서 "야채를 먹어야 해!"라는 마인드로 시작한 야채생활은 3일이 지속되면 좋은 편입니다. 야채는 대부분 남아서 상하고, 버리게 되면 제 자신에 대해 더 실망을 하였습니다.

그럴 바에야 지금부터라도 '야채 챌린지'에 도전해 봅시다.

사람의 마음은 지식이 아니라 감동 체험이나 실감으로 움직이는 것이라고 생각합니다. 작은 실천으로 일어난 많은 변화에 감동하여 '야채를 먹고 싶다!'고 자연스럽게 생각할 수 있도록 되는 것이 야채와 길게 사귀기 위해서 중요합니다.

'토마토'는 아름다움의 '퍼스트푸드'

씻기만 하면 먹을 수 있는 간편한 야채, 토마토는 야채로 아름다움을 만들기 위한 첫 단계에 가장 적합한 야채입니다.

"토마토를 제압하는 자는 아름다움도 제압한다." 조금 과장된 말이지만, 그만큼 토마토를 계기로 세계관이 아닌 야채관이 변하기 때문에 몇 가지 재미있는 소식을 소개하려고 합니다.

야채는 고르는 방법, 조리하는 방법, 먹는 방법으로도 아름다움에 대한 영향도가 크게 변합니다.

예를 들어 토마토에 포함되어 있는 것으로 유명한 '리코핀'은 젊음을 유지하고, 피부 효과도 기대할 수 있는 존재입니다. 이 리코핀은 생으로 먹기보다 '가열'하거나, '양질의 오일'과 같이 먹는 편이 미용 효과도 크게 기대할 수 있습니다. 야채의 '영양소'와 효율적인 '먹는 방법'에 알맞는 조리를 조금씩 더해 가면 아름다움은 확실히 한 단계 올라갑니다.

토마토는 '여름 야채' 이미지가 강한데, 실은 '봄'이 가장 맛있는 계절입니다.

낮과 밤의 기온차가 있는 일본의 봄은 토마토의 고향 안데스 지방의 기후와 비슷하다고 합니다. 토마토 본연의 맛과 단 맛을 느낄 수 있는 시기입니다. 야채가 가장 맛있는 시기에는 특별하게 요리하지 않아도 깊은 맛이 납니다.

사랑도 토마토도 '후숙(後熟)' 보다는 '완숙'

토마토가 새빨갛게 변하는 것은 '저 맛있어요' 하는 완숙의 사인. 하지만, 맛있는 상태로 빨갛게 익은 토마토를 수확해서 출하해버리면 운반과정에서 상할 가능성이 높아집니다.

그래서 특히 여름에는 '미숙' 한 상태로 수확하고, 출하 도중에 익어서 빨갛게 변한 것이 가게에 진열되는 경우가 많습니다. 이것을 '후숙' 이라고 합니다. 흔히 망고나 키위 등 나무 위에서 익기 어려운 것을 수확하여 먹기 좋을 때까지 재우는 것을 말하는데, 최근에는 토마토에도 이 방법을 활용합니다.

하지만, 후숙은 어디까지나 사람이 만들어낸 것.

역시 맛은 완숙한 토마토가 더 맛있다고 하니 후숙 토마토와 감별해서 사는 것이 바람직하죠.

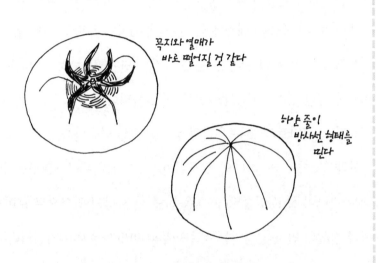

완숙 토마토의 감별방법

완숙이 가까운 토마토는 떨어지기 직전까지 흙에서 영양을 흡수하고 필사적으로 살기 위해 가지 끝에 매달려 있습니다. 그렇기 때문에 꼭지 부분까지 빨갛고, 일찍 수확한 것보다 꼭지와 열매가 바로 떨어질 것 같은 것이 특징. 수분과 영양분의 밸런스가 가장 좋을 때 나온다고 하는 하얀 줄이 꼭지 반대편에 방사선 형태로 보이는 토마토도 맛있다는 증거이기 때문에 체크해보세요.

토마토 품종은 8000가지 이상!?

아멜라, 퍼스트, 토마토베리, 마이크로토마토, 모모타로, 백설공주. 마치 빨리 말하기 훈련 같은 이 이름은 모두 토마토입니다.

'토마토'의 품종은 세계에 약 8000개 이상이 있다고 합니다. '토마토를 좋아하지 않는다'는 분은 자기 주변에 있는 몇 안 되는 토마토 종류만 생각하고 있을 가능성이 높습니다.

하지만, 토마토의 수는 우리의 상상을 훨씬 넘습니다.

만약 '토마토'가 하나의 왕국이라면, 거기에는 약 8000명이나 되는 사람이 살고 있습니다. 처음 만난 한 사람의 인상으로 토마토 왕국 전체의 인상을 정하는 것은 너무나 안타까운 이야기입니다.

"토마토는 별로 안 좋아해요."라고 정하기 전에, 다양한 품종의 토마토를 먹어보세요. 토마토 외의 야채에도 많은 품종이 있기 때문에 왕성한 호기심으로 먹어보세요.

일단 도전! 토마토 레시피

토마토 찌개

재료 (2인분)

토마토 … 중 1개
무염분 토마토주스 … 500ml
물 … 100ml
올리브오일 … 적당량
콘소메 … 10g
소금, 후추 … 조금
마늘 … 1쪽
녹는 치즈, 달걀 … 취향에 따라
찌개 재료 … 냉장고 안에 있는 것
으로 OK

만드는 방법

1. 올리브오일을 두른 냄비에 얇게 썬 마늘을 넣어서 향이 날 때까지 볶고, 토마토 외의 찌개 재료를 넣어 가볍게 익힌 후 소금, 후추로 간을 한다.
2. 1에 토마토주스, 물, 자른 토마토, 콘소메를 넣고 뚜껑을 닫아 끓인다.
3. 조금 익으면 취향대로 치즈 & 달걀을 넣으면 완성.

토마토 잼

재료 (2인분)

토마토 … 중 1개 (100g인 경우)
설탕 … 30g

만드는 방법

1. 토마토를 충분한 양의 끓는 물에 1분 정도 넣고 냉수로 식힌 후 껍질을 벗기고 잘게 다진다.
2. 냄비에 1의 토마토와 설탕을 넣고 30분 정도 그대로 둔다.
3. 중불에 올리고 타지 않도록 저으면서 조리고, 투명해지면 완성.

시간이 없는 아침에는 '소송채'

5분만 자고 일어나자. 5분이 10분, 10분이 15분, 20분이 지나 정신을 차려보니 지각 직전이고 바람처럼 집을 나가는 아침. 또는 가족을 배웅하는 아침.

아침식사를 준비하려고 해도 나도 모르게 빵에 달걀만 굽고 말죠 (그것만으로도 대단하지만요). 아침부터 야채를 준비하는 것은 어려운 일이라고 생각하는 분도 많다고 생각합니다.

그런 분들에게 추천하는 야채가 소송채입니다.

소송채는 미리 준비할 필요가 없고, 생으로도 먹을 수 있는 것이 큰 이점입니다.

시금치와 모양은 비슷하지만, '데치기' 등 준비가 필요 없는 것이 반가운 포인트. 생으로 샐러드나 주스에도 사용할 수 있고, 볶거나 조림 등 다양한 조리방법으로 즐길 수 있습니다. 시간이 없을 때는 씻고 나서 과감하게 손으로 찢어 먹을 수도 있습니다.

야채용 부엌가위를 준비하여 뿌리 부분을 잘라내고, 남은 부분도 먹기 좋은 크기로 잘라서 사용해도 좋습니다. 도마, 칼을 씻을 필요가 없어서 빠르게 조리할 수 있습니다. 소송채는 한 뿌리씩 나누어져 있기 때문에 혼자 사는 경우에도 사용하기가 좋고, 신선도 역시 유지하기 좋습니다.

존재감 있지만 어떤 식재료와도 궁합이 OK

"내일 아침은 ○○을 만들자." 하고 어느 정도 계획을 세워서 야채를 사는 분도 많다고 생각합니다. 하지만, 생각한 시간에 일어날 수 없게 되면 예정을 변경해야 합니다.

소송채의 좋은 점은 잎야채로서 확실한 존재감이 있지만, 맛이나 향이 강하지 않은 점. 다양한 식재료와 맞출 수가 있어서 갑작스러운 변경에 대응력도 좋습니다! '반드시 가열해야 한다' 등 조리법이 한정되어 있는, 주장이 강한 식재료가 아니라 자유자재로 변형이 가능한 야채가 아침에는 안성맞춤입니다.

또한 파, 부추, 양파, 마늘 등처럼 향이 강하지 않은 점도 외출 전에는 좋죠.

칼슘, 철분이 풍부한 여성의 지원군

소송채는 상쾌한 풍미를 가진 야채인데, 녹황색야채 중에서도 영양가가 높기 때문에 하루를 시작하기에 좋은 야채입니다. 게다가 칼슘이나 철분은 시금치보다도 소송채에 많이 포함되어 있습니다. 철분은 피부의 투명함을 높여주는 작용 및 빈혈을 예방해주는 등 여성의 지원군입니다.

또한 소송채에 포함된 칼슘은 말린 표고버섯 등에 포함된 비타민 D와 같이 먹으면 튼튼한 뼈 만드는데 더욱 도움이 됩니다. 옛날부터 전해 내려온 조림이나 나물은 건강에 유익한 조리법입니다.

소송채가 가장 맛있는 시기는 12월 ~ 2월까지인데 하우스 재배로 1년 내내 구입 할 수 있습니다. 내일 아침은 뭘 먹지? 하고 고민된다면 소송채를 선택해보세요.

아침에 안성맞춤인 소송채 레시피

소송채 토스트

재료 (1인분)
소송채 ⋯ 1묶음
치즈 ⋯ 1장
햄 ⋯ 1장
올리브오일 ⋯ 1작은술
식빵 ⋯ 1장

만드는 방법
1. 소송채를 부엌가위로 2~3센치 길이로 자른다. 햄과 치즈도 먹기 좋은 크기로 자르고, 올리브오일로 무친다.
2. 식빵에 올려 토스트기로 노릇노릇해질 때까지 굽는다.

소송채 계란말이

재료 (2인분)
소송채 ⋯ 1묶음
달걀 ⋯ 3개
설탕 ⋯ 1큰술
간장 ⋯ 1작은술
참기름 ⋯ 적당량

만드는 방법
1. 다진 소송채, 달걀, 설탕, 간장을 섞는다.
2. 참기름을 두른 후라이팬에 1의 3분의 1 분량을 넣고, 주위가 굳어지면 1/3로 접는다. 이것을 3번 반복한다.

'외식 샐러드'가 아름다움을 멀리한다

저는 예전에 패밀리 레스토랑부터 고급 레스토랑까지 8곳 이상의 음식점에서 아르바이트를 했었습니다. 가게마다 야채를 다루는 방법은 다릅니다. 손님이 주문을 하고 나서 자르는 경우도 있고, 양상추 등 잎야채를 장시간 얼음물에 담가놓는 가게도 있었습니다.

가게에 따라 야채를 다루는 방법이 여러 가지 있는 것은 괜찮다고 생각하지만, 샐러드와 같이 야채 그 자체를 먹는 경우는 장시간 물에 담가놓으면 중요한 영양소가 야채에서 빠져나갈 가능성이 높습니다.

'샐러드'를 맹신하지 않는 것도 중요하다

아시는 분도 많을 거라 생각하지만, 야채의 비타민에는 다음의 두 종류가 있습니다.

· 수용성 비타민(물에 녹는 성질을 가진 비타민)

· 지용성 비타민(기름에 녹는 성질을 가진 비타민)

물에 녹는 비타민은 딸기, 감귤류, 빨간 피망, 여주, 브로콜리 등에 포함된 아름다운 피부의 필수영양소인 '비타민 C'를 비롯하여 콩류나 기타 동물성 식품에 포함된 '비타민 B군', '엽산' 등이 있습니다.

이것들은 한 번에 많이 섭취해도 바로 몸 밖으로 배출되기 때문에 이를 의식하여 매일 보급해야 하는 비타민입니다.

또 기름에 녹는 지용성 비타민은 단호박이나 당근에 포함된 베타카로틴이 몸속에 들어와서 필요량에 따라 변화해서 생기는 '비타민 A'. 회춘의 비타민이라고 불리는 참깨, 단호박, 아보카도에 포함된 '비타민 E'.

기타 튼튼한 뼈 만들기에 없어서는 안 될 시금치를 비롯한 녹황색야채에 많이 포함된 '비타민 K'. 말린 표고버섯에 많이 포함된 '비타민 D' 등이 있습니다.

이것들은 양질의 오일과 같이 먹음으로써 체내의 흡수율이 높아지기 때문에 볶거나 굽기, 무침 등으로 먹는 것을 추천합니다. 수용성 비타민과 달리 몸에 쌓이기 쉬운 비타민도 있기 때문에 영양제 등으로 섭취할 경우는 과다하게 섭취하지 않도록 주의가 필요합니다.

수제! 마실 수 있는 드레싱 만드는 법

진정한 아름다움을 목표로 한다면, '수제 샐러드 & 드레싱'을 추천합니다.

직접 샐러드나 드레싱을 만들어도 그렇게 손이 가지 않습니다. 샐러드에 사용하는 생야채는 장시간 물에 담그지 않도록 주의하기만 하면 됩니다.

드레싱을 만들 때 의식해야 할 것은 제철야채를 사용한 '마실 수 있는 드레싱'을 만들어서 그 때마다 다 사용하는 것입니다.

조금 남은 야채, 과일도 소비할 수 있어서 야채가 남는 일도 적어지고, 한 번에 다 사용하기 때문에 신선합니다.

마시는 야채 레시피

야채 드레싱

재료 (1인분)
양질의 오일 … 1큰술
(122페이지 참조)
식초 … 2작은술
꿀 … 1작은술
소금, 후추 … 적당량
야채 과일 … 약60g

만드는 방법
야채 과일을 갈거나 수분량이 많은 야채, 과일을 다져서 유리병 또는 전용 용기에 넣고 오일, 식초, 조미료와 섞는다.

POINT

1. 드레싱에 맞는 야채 과일은 토마토, 오이, 당근을 비롯하여 포도, 배, 감귤류, 딸기, 생강 등. 시중에 판매 중인 프랜치 드레싱에 다진 생강을 넣는 것도 신선합니다.
2. 수제 드레싱에 레몬, 오렌지, 자몽 등 계절의 감귤류를 사용할 경우는 식초를 넣지 않는다. 양을 줄이는 등으로 상쾌한 산미를 즐겨주십시오. 자몽 과즙은 폰즈를 만들 때 넣으면 풍미가 증가합니다.

식이섬유로 안심하는 '신데렐라 저녁식사'

일을 마치고 겨우 집에 돌아와 시계를 보니 밤 9시가 넘었다.

"이 시간부터 먹으면 살이 찔 것 같은데, 뭔가 먹고 싶어!"

이런 귀가 후의 유혹에 흔들렸을 때는 '식이섬유'를 많이 포함한 야채를 메인으로 한 식사를 추천합니다.

식이섬유는 소화되지 않고 몸속을 지나 필요가 없는 영양분이나 노폐물을 잡아 밖으로 배출해주는 청소부. 이것이 변비를 해소해 주고 허리를 쏙 들어가게 만들어주는 것과 관계가 있는 이유. 즉 디톡스 서포터라고 할 수 있습니다.

게다가 식이섬유는 잘 씹어 먹으면 위 속에서 부풀어 올라 과식 방지에도 도움이 됩니다. 천천히 장 속을 이동하기 때문에 만족감도 지속! 당분이나 유분의 흡수 속도도 느리게 해주기 때문에 다이어트의 든든한 지원군이기도 합니다.

뱃속 청소는 잘 씹은 '불용성 식이섬유'로

많고 적고의 차이는 있으나 모든 야채에는 '식이섬유'가 포함되어 있습니다. 현미, 잡곡에도 포함되어 있지만, 식이섬유가 많이 포함된 식재료의 톱은 역시 야채입니다. 야채를 먹는 의의는 '식이섬유를 먹는 것'이기도 합니다.

식이섬유에는 '불용성 식이섬유'와 '수용성 식이섬유'가 있습니다. 기본적으로 야채에는 이 양쪽 식이섬유가 포함되어 있는데, '불용성 식이섬유가 더 많이 포함된다', '수용성 식이섬유가 더 많이 포함된다'로 나눌 수 있습니다.

불용성 식이섬유가 풍부한 식재료는 '우엉, 고구마, 옥수수, 버섯류, 콩류, 낫토, 미숙한 과일' 등이 있습니다.

불용성 식이섬유를 포함한 야채를 먹을 때 주의할 점은 잘 씹고, 가능한 한 잘게 부드러운 상태로 할 것. 그렇지않으면 소화에 시간이 오래 걸려서 위에 부담을 줄 가능성이 있다는 것입니다.

또한 수분이 부족한 상태에서 대량으로 먹으면 오히려 배에 머물게 되는 경우도 있으니 주의해야 합니다. 수분과 같이 잘 씹어서 작은 섬유 상태로 하는 편이 몸속에 쌓인 것을 구석구석까지 제거할 수가 있고, 씹음으로써 뇌가 자극을 받아 만족감도 얻기 쉽습니다.

'수용성 식이섬유'로 위 속을 코팅

물에 녹는 성질이 있는 '수용성 식이섬유'가 풍부한 식재료는 '아보카도, 오크라, 해조류, 잘 익은 과일' 등. 위 속에 있는 것들을 감싸고 콜레스테롤, 당분, 염분, 지방분이 몸에 흡수되는 것을 억제 하는 작용도 기대할 수 있습니다.

저는 밤 9시 이후에 어떻게든 든든하게 먹고 싶다! 할 때는 낫토 에 김치, 아보카도, 편의점에서 산 온천계란을 넣은 샐러드를 만들 어서 먹습니다. 아보카도, 낫토는 칼로리가 높아서 과식은 금물이 지만, 돈까스 도시락을 먹는 것보다 낫다고 생각하고 있습니다.

식이섬유는 불용성과 수용성을 밸런스 좋게 매일 생활 속에서 섭 취하는 것이 중요합니다. 의식해서 섭취합시다.

아름다운 사람은 '자기 연마' 보다 '미각 연마'

　야채를 좋아하게 되려면 정상적인 미각을 되찾는 일이 절대로 필요합니다.

　야채를 먹는 것이 고통스럽거나 아름다움을 위해 의무감으로 먹는 분은 외식이나 가공품을 먹는 기회가 많고, 뇌가 진한 맛에 익숙해져서 미각이 둔해져 있을 가능성이 높습니다.

　조미료나 진한 맛에 익숙해진 뇌와 혀를 디톡스하고 원래의 '아름다운 혀'로 되돌리는 것이 아름다움으로 가는 지름길. 이것은 저의 다이어트 경험에서도 말할 수 있습니다. 미각을 연마하는 일은 새로운 다이어트 방법이기도 합니다.

　저는 이것을 '미각 디톡스'라고 부르고 있습니다.

혀는 10일에 한 번 새롭게 태어난다

　혀에 있는 맛을 느끼는 곳, '미뢰'는 약 10일에 한 번 새롭게 태어난다고 합니다.

피부와 같이 혀에도 턴오버가 있는 것입니다.

즉, 약 10일간 야채 중심의 식생활이나 일식 등 싱거운 맛으로 지내면 정상적인 미각을 되찾을 수가 있다는 것입니다.

미각이 연마되면 야채 본연의 맛이나 단 맛을 직접 느낄 수 있게 되고, 야채가 좋아지기 때문에 섭취량이 자연스럽게 증가합니다. 야채가 좋아지고, 먹는 양이 늘어나면 그 만큼 단 것이나 정크푸드를 먹는 양도 줄어들 것입니다. 다이어트란 일시적인 것이 아니라 평생 실천해야 하는 과제입니다. 아름다움을 위해 자신의 베스트 몸무게를 유지하는 것은 영원한 목표. 그렇기 때문에 몸에 필요한 것일수록 '좋아하는 것' 으로 바꾸는 것이 중요합니다.

과자를 비롯한 기호품도 자신이 정말로 좋아하는 것이 명확해집니다. "이거면 돼." 하고 그냥 먹는 것이 아니라 "이게 좋아." 하고 고른 것에는 자신만의 기준이 생기기 때문에 후회나 죄책감 없이 즐길 수 있게 됩니다.

실제로 미각을 디톡스하기 위해 추천하고 싶은 야채를 먹는 방법을 소개합니다.

[미각 디톡스를 위한 야채 먹는 방법]

1. 처음 한 입은 반드시 야채로 한다

식사 전에 아무것도 입에 넣지 않은 상태의 혀로 야채를 계속 맛보다보면 미각은 확실히 변화합니다. 반복하다 보면 지금까지 소스나 드레싱이 없으면 허전하다고 생각했던 야채 본연의 맛을 확실히 알게 됩니다. 제가 괴로운 요요현상의 지옥에서 탈출할 수 있었던 것도 이렇게 야채 본연의 맛을 알게 되어 '먹어야 된다' 에서 '먹고 싶다' 는 의식으로 바뀌었기 때문입니다.

2. '그라데이션 먹기'를 추천

야채를 먹을 때의 순서인데, 가능하면 '담색야채' 등 색깔이 연한 것부터 진한 색으로 '그라데이션' 이 되도록 먹는 것을 추천합니다.

시금치나 단호박 등을 비롯한 '녹황색야채' 는 배추나 양배추 등 '담색야채' 에 비해 맛이 조금 강하기 때문에 되도록 연한 맛의 야채부터 입에 넣으면 섬세한 맛의 차이를 느낄 수 있게 됩니다.

물론, 매번 의식하면서 먹으면 피곤하기 때문에 여유가 있을 때 시도해보세요.

3. 같은 야채를 8품종 정도 먹고 비교한다

'미각 연마'는 같은 야채라도 다른 품종을 8종류 정도 먹고 비교해 맛의 차이를 확인하는 것입니다. 그렇게 함으로써 음역(音域)이 아닌 '혀역(舌域)'이 넓어지고 느끼는 맛에도 깊이가 생겨 더욱 식사를 하는 것이 즐거워집니다.

또한 야채 그 자체의 맛을 잘 맛보고 계속 먹으면 자신에게 맛있는 야채와 그렇지 않은 야채의 차이가 확실해집니다. 지금까지 식당이나 점심세트로 억지로 야채를 먹던 것에서 이제 정말로 자신이 맛있다고 느끼는 야채를 사게 됩니다. 구입하는 장소나 고르는 방법, 조리법까지 고집하게 되고, 더 야채가 좋아지게 되는 해피 사이클이 시작됩니다.

'맛있는 야채를 고르는 방법'에 대해서는 제2장에서 자세하게 전하겠습니다.

제 2 장

알기만 하면 아름다워지는
야채의 기본

'수박 · 멜론 · 딸기'는 야채로 분류

제목 그대로 '수박', '멜론', '딸기'는 야채입니다. 농림수산성에 따르면 야채란 식물학상 '풀에 열리는 것'이라고 합니다.

그리고 '나무에 열매를 맺는 것'은 과일이라고 되어 있습니다.

'수박', '멜론', '딸기'가 자라는 모습을 상상해보십시오. 흙에서 싹이 나와 쑥쑥 자란 풀이나 덩굴 끝에 작은 열매를 맺는 모습입니다. 자라는 모습을 상상해보면 이것들은 분명히 야채입니다.

"하지만 슈퍼에서 판매하는 코너는 과일코너가 아닌가요?"

그렇죠. 우리는 원래 야채인 '수박', '멜론', '딸기'를 과일로 즐기고 있습니다. 이렇게 평소에는 과일로 취급되는 야채를 '과일적 야채'라고 부릅니다.

그리고 그 반대도 있습니다. 야채로 다루어지고 있지만, 사실은 과일인 것. '숲의 버터', '먹는 미용액'이라고 귀한 대접을 받고 있는 아보카도가 해당합니다. 이렇게 평소는 야채로 취급하고 있지만, 사실은 과일인 것을 '야채적 과일'이라고 부릅니다.

'야채'로 생각하면 넓어지는 레시피

수박은 토마토와 마찬가지로 '리코핀'을 함유한 야채입니다. 양질의 오일과 같이 드레싱을 해서 젊은 피부를 목표로 하고 싶습니다.

멜론은 미네랄의 일종인 '칼륨'이 풍부하기 때문에 다리의 '붓기'가 신경 쓰이는 사람에게는 기쁜 야채로 카운트할 수 있습니다.

딸기는 '비타민 C'가 풍부한 '생으로 먹을 수 있는 귀중한 야채' 중 하나입니다.

게다가 이것들을 야채라고 생각하면 만드는 레시피도 바뀝니다. 햄 & 멜론과 같이 수박이나 딸기도 사라다(샐러드)나 오트밀로 생각할 수 있습니다.

'수박', '멜론', '딸기'를 야채로 카운트해도 된다면, "야채가 부족한가?" 하고 걱정하는 마음으로부터 해방되지 않을까요?

'야채적 과일' 의 레시피

아보카도 치즈케이크

재료 (8인분)
아보카도 … 중 1개
크림치즈 … 200g
사워크림 … 200ml
설탕 … 120g
달걀 … 2개
생크림 … 50ml
옥수수 전분 … 3큰술
레몬즙 … 1큰술
제과용 쿠키(바삭바삭한 식감인
것) … 90g
무염버터 … 45g

만드는 법
1. 쿠키는 봉지에 넣어서 반죽밀대로 작게 부수고, 중탕으로 녹인 버터와 섞는다.
2. 1을 케이크 형틀에 깔고 숟가락으로 눌러 평평하게 한다.
3. 볼에 크림치즈와 설탕, 껍질을 까고 씨를 제거한 아보카도를 넣고 전체가 부드러워질 때까지 주걱으로 섞는다.
4. 3에 사워크림, 레몬즙을 넣어 섞고, 푼 달걀을 3번에 나누어서 거품기로 섞으면서 생크림, 옥수수 전분 순으로 넣는다.
5. 2의 케이크 형틀에 4를 체에 거르면서 넣는다.
6. 160도 오븐으로 90분 정도 굽고, 어느 정도 식히고 나서 냉장고에 넣어 차갑게 한다.

치즈케이크용 야채&과일은
수분량이 적은 것!

아름다움으로 가는 지름길, 야채를 감별하는 방법

　일류 셰프 사이에서는 맛있는 요리의 비결은 '식재료 7, 기술 2, 환경 1'이라고 합니다. 훌륭한 요리를 만들기 위해서는 요리의 기술보다도 소재를 고르는 법이 포인트라는 겁니다. 모든 것은 고르는 단계에서 정해진다는 것이죠.

　'기술 2'의 부분에서 가정요리와 큰 차이가 나기 때문에 그 20%가 포인트인 것은 말할 것도 없겠죠.

　하지만, 일류 셰프와 똑같이 요리할 수 없어도 맛있는 야채를 고를 수 있는 센스를 지니게 된다면 우리의 '야채를 먹어야 한다'는 초조함을 '야채를 먹고 싶다'고 하는 욕구로 쉽게 바꿀 수 있을 것입니다. 저 자신도 요요현상 시절 야채가 싫었던 것이 아니라 지금 생각해보면 '정말로 맛있는 야채 = 신선한 야채'를 안 먹고 있었다고 확실히 단언할 수 있습니다.

　정말로 맛있는 야채를 스스로 선택할 수 있는 힘, 즉 '야채의 선택력'을 연마하면 아름다움으로 가는 자유이용권을 손에 넣은 것과 마찬가지 입니다. 여기서는 그 감별하는 방법을 소개하겠습니다.

[맛있는 야채를 고르는 방법]

1. '아름다운 피부'와 '맛있는 야채의 조건'은 같다

아름다운 피부의 조건은 '촉촉함', '부드러움', '탱탱함', '탄력', '혈색'의 5가지 조건을 모두 갖추는 것. 이것은 맛있는 야채에도 해당합니다.

특히 열매야채가 그렇습니다. 우리와 마찬가지로 수분이 대부분을 차지하는 야채는 촉촉하고 탱탱한 것을 선택하도록 합니다. 토마토, 가지, 피망 등은 주름이 있는 것은 NO. 잎야채도 시든 것이 아니라 싱싱한 것을 선택하면 됩니다.

그리고 겉의 색이 고른 것을 선택하는 것이 베스트. 이것은 태양의 사랑을 골고루 받고 자란 것을 나타내고 있습니다.

또 "아름다운 여성은 가시가 있다."라는 말이 있는데, 사실은 야채도 같습니다. 가지, 오크라, 오이 등 가시가 있는 야채는 가시가 뾰족할수록 신선한 증거입니다. 선택할 때는 가시나 솜털의 상태를 보면 됩니다. 다만, 구입할 때는 손가락이 가시에 찔리지 않도록 주의해야 합니다.

2. 눈으로 본 무게보다도 묵직한 근육질 야채

눈으로 본 크기보다도 손에 들었을 때 묵직한 무게를 느끼는 야채를 선택하는 것도 포인트가 됩니다.

우리는 눈으로 보고 물건의 무게를 재고 있습니다. 이것을 '눈대중' 이라고 합니다. 보기보다 묵직한 야채는 맛이 진하고 맛있습니다.

3. 신선함을 꿰뚫어보는 '물방울' 과 '단면'

야채는 수확된 후에도 호흡과 증산(蒸散, 잎의 뒷면에 있는 기공을 통해 물이 기체상태로 식물체 밖으로 빠져나가는 작용)을 계속하고 있습니다. 즉, 살아 있습니다. 예를 들어 초봄에 수확한 죽순을 비닐봉지에 넣으면 순식간에 비닐봉지가 뿌옇게 흐려집니다.

매장에서 비닐봉지 안쪽에 물방울이 있는 야채는 오랜 시간 호흡과 증산을 하고 있을 가능성이 높습니다. 즉, 수확되어서 시간이 오래 지난 야채입니다. 구입할 때는 물방울이 적은 것을 선택하도록 하세요.

또한 야채는 수확되고 잘리더라도 성장하려고 하는 강한 근성과 향상심을 가지고 있다는 것도 기억하십시오. 2분의 1로 잘려진 양배추의 표면이 부풀어 올라와 있으면 '자르고 나서 성장했다 = 시간이 경과했다' 는 증거. 되도록 표면이 평평한 것을 고르면 됩니다. 옥수수, 아스파라거스 등도 자른 단면이 건조하지 않았는지 체크가 필요합니다.

4. 똑바로 자란 우등생이 OK

고른다면 굽어진 야채보다 곧고 크기도 고른 야채를 구입하는 편이 요리할 때 모양을 가지런히 해서 자르기 쉬워서 좋습니다. 야채는 같은 크기로 자른 편이 양념할 때도 맛이 골고루 베고 맛있어집니다.

그렇긴 하지만, 저도 크기가 제각각인 할인된 야채 팩을 사서 소스나 스프로 사용합니다. 그 날의 메뉴에 따라 '골라서 구입하는' 것이 중요합니다.

맛있는 야채를 고르는 방법

1
'아름다운 피부' 와
'맛있는 야채의 조건' 은 같다

2
눈으로 본 무게보다도
묵직한 근육질 야채

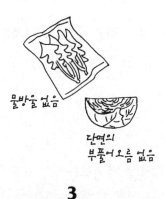

물방울 없음

단면의
부풀어오름 없음

3
신선함을 꿰뚫어보는
'물방울' 과 '단면'

4
똑바로 자란
우등생이 OK

야채에 질리지 않으려면?

야채로 아름다움을 지향할 때 가장 중요한 것은 '스스로 질리지 않도록 하는' 것.

매일 같은 슈퍼로 가다보면 진열되어 있는 품종도, 산지도 비슷한 야채가 많고, 무심코 자신이 조리하기 편한 야채만을 구입하고 있지 않습니까?

저 같은 경우, 차조기 잎, 토마토, 숙주 등에 치우치는 경향이 있습니다. 불에 익히는 시간이 짧은 것이 많습니다.

그렇게 되면 '야채가 질린다', 즉 '계속 먹을 수 없다'는 상태에 빠지기 때문에 야채에 질리지 않는 방법을 몇 가지 소개하려고 합니다.

먼저 첫 번째로 야채를 구입하는 장소를 바꿔보는 방법이 있습니다.

평소 집에서 가까운 슈퍼에서 구입했었다면, 역 앞에 야채를 잘 아는 할머니가 있는 야채가게에서 구입해봅니다. 때로는 대형 백

화점의 지하를 둘러보면 평소에 슈퍼에서 볼 수 없는 야채도 많기 때문에 눈도 즐겁습니다.

휴일은 직거래장터나 농가 직매장에 가보는 것도 좋습니다. 직매장 등의 좋은 점은 재배자 분들과 직접 이야기를 할 수 있다는 점입니다.

야채를 구입하는 가게를 바꾸면 만날 수 있는 것

예를 들어 제가 가을에 직매장에 갔을 때, 너무나 맛있어 보이는 밤을 판매하고 있는 밤 농가 부스에서 깜짝 놀랄만한 '밤 먹는 방법'을 배웠습니다.

"밤은 정말 좋아하는데, 항상 메뉴는 밤밥밖에 없어요."

그렇게 말하자 '밤 튀김'을 가르쳐주셨습니다.

딱딱한 겉껍질 부분을 까고 속껍질 채로 튀기는 방법입니다. 그렇게 하면 겉은 바삭바삭, 속은 촉촉해서 밤 고로케처럼 됩니다(튀길 때 기름 튀는 소리가 무서우니 주의!).

평소에는 깎아 벗겨내는 밤의 속껍질에는 폴리페놀이 풍부합니다. 그대로 튀기면 떫은맛이 사라져서 밤을 속껍질 채로 먹을 수 있을 뿐만 아니라 아름다운 피부나 노화방지 케어에도 정말 좋은 요리가 됩니다.

살고 있는 지역에 그러한 가게가 없다는 분에게는 '택배야채 세트'를 추천합니다. 택배야채는 한번 주문하면 같은 것이 계속 오는 이미지가 있지만, 사실은 각 회사에는 시식용 세트가 있어서 평상시의 반 이하 정도 가격으로 주문할 수 있습니다.

택배야채의 좋은 점은 안에 무엇이 들어가 있는지 올 때까지 모르기 때문에 처음 조리하는 야채가 들어가 있는 경우가 많다는 점. 처음 접하는 야채에 당황하기도 하지만, 대부분의 경우는 농가 사람들이 먹는 방법이나 레시피를 같이 동봉해주는 경우가 많아 새로운 야채의 세계가 펼쳐질 것입니다.

생산지의 차이를 즐기고 싫증남을 방지한다

야채에 질리지 않기 위한 두 번째 방법으로 같은 야채라도 '산지가 다른 것을 구입해본다'는 방법도 좋습니다.

같은 연근이라도 예를 들어 이바라기현(茨城縣) 산은 대부분 '아삭아삭', 도쿠시마현(德島縣) 산은 대부분 '묵직'하다는 식감의 차이가 있습니다.

산지가 다르면 흙이 다르기 때문에 야채의 맛도 변하게 됩니다. 어느 쪽이 자신의 취향인지, 먹어보고 비교해보는 것도 즐거움 중 하나.

제가 아는 농가는 야채에 미네랄감을 내기 위해 흙에 굴 껍질을 섞는 등의 연구를 하고 있습니다. 조리사가 다르면 간이 다르듯 만드는 사람에 따라 미묘한 맛에 차이가 있습니다.

흙은 영양의 보물창고. 벌레들과 달리 흙을 그대로 먹을 수 없는 우리 인간은 야채를 통해서 그 영양을 받고 있습니다.

처음 먹는 야채는 외식으로 도전

야채에 질리지 않기 위한 세 번째 노력은 평소에 낯선 야채나 처음 먹는 야채 레시피에 외식으로 도전해보는 것을 추천합니다.

제5장에서도 자세히 설명하겠지만, 최근에는 신기한 색깔이나 형태의 야채가 판매되는 일이 많은 것 같습니다.

이러한 야채에 도전하다 보면 싫증을 느끼는 일도 줄어듦으로, 처음에는 용기가 필요합니다. 이런 사람은 먼저 외식 메뉴에서 아직 먹어본 적이 없는 야채나 조리법을 만나면 주문해보세요.

예를 들어 '하얀 옥수수 회', '오렌지 배추 샐러드', '감 튀김' 등 "어, 이게 뭐지?" 하고 흥미를 가졌다면 용기를 내서 도전해보는 겁니다.

그리고 집에서도 외식메뉴를 간략화해봅니다. '감 튀김'이면 크게 생각하면 '감' 과 '튀김' 의 궁합이 좋다는 것을 발견한 겁니다. 그렇다면 튀김으로 하지 않아도 '감' 과 '튀김 꽃' 도 맛있다는 것.

두 가지 맛을 방해하지 않는 야채를 사서 감과 같이 자르고, 튀김 꽃을 뿌린 샐러드를 만들어보는 등 변형해보는 것도 재미있을 겁니다.

여기서는 '야채에 질리지 않기' 위한 노력으로 여러 가지 발상의 전환법을 소개해봤습니다. 오래 야채를 즐기기 위해 한 번 시도해보십시오.

아름다워지는 '야채 보관' 수업

야채를 '고르는 방법'과 똑같이 중요한 것이 야채의 '보관방법'.

야채의 영양소를 유지하기 위해서는 어찌되었든 좋은 상태로 보관하는 것이 중요합니다.

지금까지 나무나 풀, 흙 속에서 영양을 듬뿍 받아서 생생하게 자라온 야채들. 싹둑 잘려서 엄한 환경으로 운반되어 왔으니 나름대로 위로해주고 싶습니다.

야채가 가장 기뻐하는 보관방법은 '자라온 상태를 이미지' 해서 보관하는 것입니다.

모든 야채가 '냉장고를 좋아하는 것'은 아니다

토마토, 가지, 오이 등은 덜 익었거나 가공 전이라면 사실은 냉장보관보다도 통풍이 잘 되는 냉암소(열과 빛을 차단할 수 있는 장소)에서 보관하는 편이 좋습니다. 이것들은 원래 따뜻한 곳에서 자란 야채여서 추운 곳을 싫어합니다.

특히 가지는 냉장고에 넣으면 자기 수분으로 얼어버려서 저온장

애가 되는 불쌍한 상태가 됩니다. 또한 순식간에 색이 바뀌거나 시들거나 해서 상하게 됩니다.

최신 냉장고에는 이 부분이 해결되는 시스템이 갖추어져 있는 것 같지만, 만약 냉장고에 넣었는데 오래 가지 않는 경우는 비닐봉지나 수건으로 감싸거나 상온보관에 도전해보세요.

참고로 열매야채는 일부분에 부하가 걸리면 거기서부터 상하게 됩니다. 큰 토마토 등 밑에 접한 부분이 상하는 것을 경험한 분도 많을 겁니다. 자주 굴려서 보관해보세요.

단, 한 번 칼로 잘라버린 야채는 모두 냉장보관하세요. 야채를 자르는 타이밍에 대해서는 다음 항목에서 소개하겠습니다.

세로로 자라는 것은 세로로 보관

슈퍼에서 가끔 굽어진 아스파라거스를 보게 되는데, 이것은 수확되고 나서 잠시 옆으로 눕혀진 것을 나타내고 있습니다. 옆으로 누워있어도 위로 자라고 싶은 거죠.

아스파라거스, 시금치, 소송채를 비롯한 잎야채나 당근 등 세로로 자란 것은 세로로 보관하는 편이 좋습니다. 이는 수확 후도 성장하려고 하는 야채의 필요 없는 에너지를 쓰지 않게 하는 것입니다.

저는 집 냉장고의 야채칸 하단에 할인마트에서 구입한 식빵 케이스나 조금 깊은 용기를 넣고 세로로 수납하기 좋게 칸을 만들었습니다. 뚜껑 부분은 야채칸 상단에 나란히 넣고 작은 야채나, 잘라서 랩으로 보관한 야채를 넣습니다.

조금 긴 세로 야채는 문 안쪽에 있는 음료수 수납부분에 많이 넣습니다.

잎야채는 수분이 생명! '비닐봉지' 보관이 OK

65페이지에서 설명한 바와 같이 잎야채는 수확 후도 호흡을 하고 있습니다. 또 호흡만 하는 것이 아니라 잎에서 수분을 증산하고 있습니다. 그래서 그대로 두면 바로 시들어버립니다.

시드는 속도를 가능한 한 늦추기 위해서는 작게 접어 물을 적신 키친페이퍼로 단면을 덮고, 비닐봉지에 넣어서 보관하는 것이 좋습니다.

당근, 무, 순무를 잎이 달린 채로 산 경우는 일찍 잎 부분을 잘라

둡니다.

 잎 부분에서 수분이 증산할 뿐만 아니라 뿌리 부분의 수분으로
성장하려고 해서 먹는 부분의 맛이 줄어들기 때문입니다.

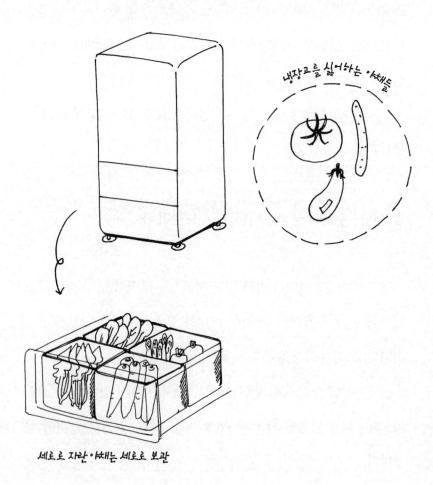

냉장고를 싫어하는 야채들

세로로 자란 야채는 세로로 보관

'자르는 타이밍' 이 아름다움을 좌우한다

야채를 먹고 아름다워지기 위해서는 먹기 직전에 '자르고', '씻는' 것이 중요합니다. 왜냐하면 야채는 자르는 순간부터 영양소가 쭉쭉 줄어들기 때문입니다.

게다가 보존 면에서도 큰 차이가 납니다.

'통야채' 는 통조림 식재료와 같다

예를 들어 단호박. 단호박은 통째로 수확하고 나서 2~3개월 정도 보관할 수 있습니다. 하지만 한 번 잘라버리면 씨 부분부터 수분이 나가고, 2~3일 내에 먹지 않으면 상해버립니다.

조금만 더 오래 보관하고 싶은 경우에는 씨 부분을 제거하고 랩으로 냉장보관하면 되지만, 역시 빨리 먹는 것이 중요합니다. 그것은 다른 어느 야채도 마찬가지로 '칼을 댄 후에는 빨리 먹어버린다' 고 기억해두십시오.

칼을 대기 전의 단호박처럼 '통 야채' 는 통조림 식재료와 같습니다. 진공팩 등은 공기에 접하기 어려워서 보통의 식재료보다도 오래 가지만, 열면 기재된 유통기한과 관계없이 빨리 먹어야 하죠.

이것은 야채도 같습니다. 또한 야채의 경우는 자른 단면에서 잡균도 들어가기 쉽기 때문에 더 서둘러야 합니다.

익히고 나서 '냉동보관' 이 좋다

그렇다고는 하지만 통째로 구입하면 남은 반은 랩으로 싸서 그대로 잊어버리게 되는 일도 많습니다.

먹을 양만 조리하는 것이 아니라 야채 모두를 한 번에 조리할 것을 권합니다.

예를 들어 브로콜리를 샀다면 모두 가볍게 삶고, 그 날 먹는 분량 이외는 냉동보관하는 것입니다. 이렇게 끓인 물에 살짝 데친 후, 냉수로 식히고 나서 냉동보관함으로써 해동 후에도 맛있게 먹을 수 있습니다.

야채는 수분이 많아 그대로 냉동했다가 해동하면 섬유가 파괴되고 색이 변하거나 냄새가 나는 등의 원인이 됩니다. 그렇기 때문에 풋콩, 고구마, 단호박, 시금치 등은 끓는 물에 살짝 데친 후에 냉수로 식히고 물기를 제거하고 나서 냉동하는 것이 좋습니다.

해동할 때는 전자레인지로 반 해동하고 나서 요리를 하거나, 혹은 조림 요리 등에 냉동 그대로 넣어서 사용합니다.

하지만 통 야채를 요리하는 것은 에너지가 필요하고, 나도 모르게 잘라놓은 야채에 손이 간다는 분도 적지 않을 것입니다. 저도 어쩔 수 없이 피곤해서 자를 힘이 없을 때는 구입합니다.

그럴 때는 야채를 먹는 의미는 식이섬유를 섭취하는 것이기도 하니까 "오늘은 몸 청소 DAY." 라고 생각하고 긍정적인 마음으로 잘 씹어서 먹는 것이 중요합니다.

야채의 섬유가 부서지지 않게 자르는 방법

또한 야채는 자르는 방법에 따라서도 맛이 크게 바뀝니다.

흔히 가정요리에서 자르는 방법은 야채 위에서 칼을 수직으로 잘라 내리는 방법입니다. 이것은 야채의 섬유를 부수는 방법으로 삶는 요리에서 야채의 맛을 스프로 내고 싶은 경우에는 좋지만, 아삭아삭한 식감을 살린 볶음요리를 만들고 싶은 경우는 수분이 빠져버려 식감은 물론 보기에도 힘이 없어 보입니다.

외식 요리가 힘이 있고 예쁘게 보이는 것은 자를 때 칼을 비스듬히 앞으로 미끄러지듯 넣어서 자르고 있기 때문입니다. 위에서 내리듯 자를 때는 단면이 거칠고, 미끄러지듯 잘랐을 때의 단면은 매끄럽습니다.

그 외에 자르는 크기를 맞추면 불에 익는 정도나 조미료의 침투 정도가 고르게 됩니다.

맛에 통일감이 있고 맛있어지기 때문에 의식해서 해보십시오.

껍질로 알 수 있는 맛있는 '사인'

"오이나 포도의 표면의 하얀 가루는 농약이에요?"

시니어 야채 소믈리에 일을 하고 있으면 자주 받는 질문입니다.

답은 "아니요."

그것은 야채나 과일들의 '지금 먹기 좋을 때!' 라고 신선함을 나타내는 사인입니다.

하얀 가루의 정체는 블룸(bloom)이라고 하는 보호물질. 제철 야채 과일들은 이렇게 병이나 건조함에서 자신을 지키고 있는 것입니다. (뭐, 사람이 먹긴 하지만)

그 외에도 자주 농약이라고 오해를 받는 것은 사과 껍질의 빛깔. 이것은 사과 자신이 내고 있는 완숙의 증거.

바나나에 갈색 점이 나는 것도 '맛있는 사인' 입니다.

이렇게 야채 과일의 먹기 좋을 때라는 사인은 껍질에서 읽을 수가 있습니다.

야채의 껍질은 임기응변으로 남긴다

껍질은 우리 피부와 마찬가지로 외기나 적의 눈에 항상 노출되어 있다고 하는 엄한 상황에 놓여 있습니다.

스스로 움직일 수 없는 야채 과일은 피토케미컬이라고 하는 기능성 성분으로 자신을 지키고 있다는 설명을 했는데, 그 성분이나 그 외 영양은 껍질과 열매의 경계에 가장 많이 포함되어 있다는 것은 유명한 이야기죠.

그렇기 때문에 야채와 미용의 관계를 이야기하는 많은 분이 "야채나 과일의 껍질도 같이 먹읍시다." 하고 권하고 있는 것 같습니다. 물론 확실히 영양을 섭취하고 싶다는 분에게는 추천할만하겠지만, 오래오래 야채와 같이 지내려면 그렇게 하기가 어렵다고 저는 생각하고 있습니다.

껍질 채로 요리하면 조금 먹기가 불편하고, 알싸한 맛을 느낄 경우도 있기 때문입니다. 이것이 '떫은 맛'이라고 불리는 것입니다. 야채 껍질에는 영양과 동시에 외부로부터 자신을 지키려고 하는 부분도 포함되어 있기 때문에 매우 강한 것이기도 합니다.

껍질을 야채필러로 스트라이프로 깎는 것은 알싸한 맛을 덜 느끼고 영양도 남기는 방법입니다. 가지나 오이의 껍질은 흔히 필러로 스트라이프가 되도록 깎고 있죠.

바로 '맛있게, 아름답게'의 양면을 겸하고 있습니다. 음식점에서는 맛있게 요리를 제공하는 것이 최우선입니다. 필러로 깎은 후 소금으로 숨을 죽여서 물에 담가놓는 경우도 있어서 맛있지만 영양소를 섭취하기는 어려울 수도 있습니다.

하지만 자취생활에서는 자신의 취향이나 몸의 상태에 맞춰서 껍질의 양을 조절할 수 있습니다. '아름다워지기 위해서는 자취'라고 말하는 것도 그러한 이유 중 하나입니다.

저는 당근이나 우엉의 껍질은 버터나이프 등 날카롭지 않은 것으로 표면의 더러운 부분을 조금 긁어내는 방법을 사용하고 있습니다.

야채는 제철의 시작과 끝 무렵에도 껍질의 두께가 다르기 때문에 제철에는 껍질 그대로 요리하고, 철이 지난 시기에는 껍질을 깎거나 필러로 스트라이프 합니다.

일싸한맛을 덜 느끼게 하기 위해
스트라이프로 껍질을 깎는다.

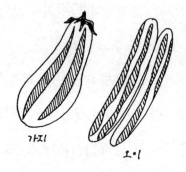

가지

오이

껍질은 버터나이프로도
긁어낼 수 있다.

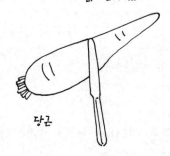

당근

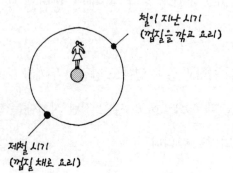

철이 지난 시기
(껍질을 깎고 요리)

제철 시기
(껍질 채로 요리)

소중한 사람을 지키는 '야채의 지식'

　야채 중에는 손질을 하지 않으면 그 효과가 반감되므로 먹는 것을 피하는 것이 좋은 것도 있습니다.

　야채의 손질을 이야기할 때 없어서는 안 되는 것은 역시 시금치. 시금치는 소송채와 달리 떫은맛이 강한 야채입니다. 떫은맛의 정체는 옥살산. 몸에 들어가면 결석의 원인 중 하나가 된다고 하니 데치기는 필수.

〈시금치의 떫은맛을 없애는 데치기 방법〉

　1. 끓는 물에 소금을 넣는다

　2. 잎 부분을 양손으로 잡고 먼저 줄기 부분을 30초 정도 데친다

　3. 줄기 부분이 가볍게 익으면 잎 부분을 주걱으로 가라앉게 하고 1~2분 데친다

　4. 데쳐지면 냉수에 가볍게 식히고 양손으로 물기를 짠다

시금치의 떫은맛을 없애는 방법은 여러 가지가 있지만, 냉수에 담그고 나서 짜는 방법이 좋습니다. 보다 효과적으로 떫은맛을 없앨 수가 있고, 색도 변하지 않아서 저는 이 방법으로 합니다.

저는 소량의 시금치를 조리할 때는 큰 후라이팬을 사용합니다. 냄비와 비교해서 적은 물로 짧은 시간에 할 수 있기 때문에 시금치가 소량일 때는 추천합니다.

떫은맛이 강한 야채는 '데치다, 튀기다, 간장에 씻다'

떫은맛이 더 강한 야채는 봄에 나오는 '산채류' 입니다.

초봄에 나오는 부드러운 싹은 그야말로 동물에 먹히지 않으려고 자신을 지키기 위해 떫은맛을 냅니다. 이 떫은맛 성분은 시금치와 마찬가지로 데치면 조금 없어집니다.

그래도 아직 떫은맛이 강한 경우는 간장에 조금 담그고 나서 짜면 더 없앨 수 있습니다. 이것을 '간장 씻기' 라고 합니다.

그 외에는 튀기면 기름으로 떫은맛이 없어지기 때문에 산채류를 튀김으로 해서 먹는 것은 맛있고, 이치에 맞습니다.

떫은맛은 아니지만 주의해야 할 것이 '감자의 싹' 입니다.

감자를 사서 오래 두면 황녹색의 싹이 나오는데, 이것에는 '솔라닌' 이라는 독이 포함되어 있습니다.

천연독소라고 해서 만만하게 봐서는 안 됩니다. 때로는 생명을 위협하는 경우도 있습니다. '솔라닌' 은 입에 넣으면 식중독을 일으킵니다. 특히 어린 아이일수록 소량으로도 증상이 나타나는 위험성이 있기 때문에 사둔 감자에 싹이 나오면 싹과 그 주변을 잘 제거하고 나서 요리하는 것이 중요합니다.

애호박 주의보! 쓰면 먹지 말 것

얼핏 보면 오이와 같은 종류로 보이지만, 사실은 단호박의 종류인 애호박. 동그랗게 잘라서 양면을 후라이팬으로 구워서 먹으면 맛있는 야채인데, 만약 한입 먹고 강한 쓴맛을 느꼈다면 주의해야 합니다.

쓴맛의 원인은 '쿠클비타신' 이라고 하는 성분. 박과의 야채, 오이, 단호박, 동과, 멜론, 수박의 꼭지 주변에 포함된 것입니다.

평소에는 소량이기 때문에 해는 없지만, 드물게 그 양이 많은 것을 모르고 먹어서 식중독이 되었다는 케이스도 있습니다. 농림수산성 홈페이지 안의 '소비자의 방'에서도 다루고 있기 때문에 알아두십시오.

사실은 저도 딱 한 번 벌떡 뛸 만큼 쓴 애호박을 먹은 적이 있었는데, 너무 써서 찾아보니 이 사실을 알게 되었습니다. 아깝다고 다 먹지 않아서 다행입니다.

이렇게 식중독 증상을 일으키지 않았던 것도 평소부터 애호박의 자연의 맛을 알고 있었기 때문에 회피할 수 있었습니다.

참고로 쓴맛의 종류인 여주의 쓴맛 성분은 주로 '모모르데신'이라고 하는 성분으로 독성은 없습니다. 더위를 먹는 계절에 식욕을 살려주는 지원군이기 때문에 안심하십시오.

레시피의 '적당량'은 설레임의 양

"염분은 많이 섭취하지 않도록 해야지."

"설탕은 살이 찌니까 넣지 말아야지."

이렇게 생각하시는 분도 많을 것입니다. 물론 과다하게 사용하거나 과다하게 섭취하는 것은 아름다움의 적이긴 하지만, 소금도 설탕도 '야채의 맛'을 내기 위해서는 없어서는 안 되는 것들입니다. 여기서는 야채를 맛있게 하는 소금과 설탕의 사용방법을 소개합니다. 소금도 설탕도 '안 쓰는 것'이 아니라 '가려서 사용하는 것'이 즐겁게 아름다움을 만드는 포인트입니다.

레시피의 '소금 적당량'에는 이유가 있다

소금과 야채는 떼려야 뗄 수 없는 관계죠. 선명한 초록색으로 하기 위해, 오크라 등의 솜털을 제거하기 위해, 씻을 때 볼에 넣고 소독하기 위해... 등 다양한 목적으로 사용합니다. 이렇게 생각하면 소금은 양념으로 사용하기 보다는 야채의 맛을 끌어내기 위해 사용하는 것을 알 수 있습니다.

야채의 맛을 끌어내기 위해서 가장 많이 소금이 사용되는 것은 아마도 데칠 때인데, 요리책 등에는 흔히 '한 꼬집', '적당량'이라고 쓰여 있습니다.

일반적으로 야채를 데칠 때는 물 양의 1% 정도가 기본입니다. 1ℓ 물에 2작은술 정도가 기준입니다.

저는 요리를 시작한 즈음, 레시피의 양념에 사용하는 소금의 '적당량'이라는 말에 고민하고 있었습니다. 그 '적당량'에 따라 맛이 변하는데, 왜 어느 요리책도 제대로 써주지 않는 걸까 하고 조금 불만이었습니다.

하지만, 이 적당량이라는 것은 한 사람 한 사람의 미각이나 '경험'에서 만들어지는 것입니다. '적당량'이란 자기의 양이라는 뜻입니다. '좋은 간'이라는 말이 있듯 자신의 취향을 찾는 즐거움이 있습니다.

그야말로 좋아하는 사람에게 요리해줄 때는 맛을 보면서 간을 조절하지 않습니까? 그럴 때의 '적당량'은 아마도 '설렘의 양'이기도 할 것입니다.

익숙하지 않을 때는 한 꼬집을 기준으로 조금씩 더해갑니다.

사람에 따라 간이 다르다는 것은 진한 맛에 익숙한 사람의 혀는 디톡스된 혀를 가진 사람보다 소금을 사용하는 양이 늘어난다는 것입니다. 하루에 목표로 하는 소금의 양은 세계기준으로 약 5g 미만. 과다하게 섭취하지 않도록 주의가 필요합니다.

소금에는 암염, 천일염, 자염 등 많은 종류가 있습니다. 아마도 평소에 가는 슈퍼에서도 몇 가지 선택할 수가 있을 겁니다.

야채와 잘 맞는 좋은 소금은 미네랄이 풍부한 암염, 크레이지 솔트 등 허브가 섞인 것이라고 할 수 있겠습니다.

단맛의 추천은 '야채 + 메이플시럽'

자, 다음은 단맛에 대해 알아보겠습니다.

원래 단맛은 소금과 마찬가지로 야채에 '맛있는 맛' 과 '깊은 맛' 을 주는 것입니다. 꿀레몬이 좋은 예입니다. 레몬만으로는 신 맛이 너무 강하지만, 단 맛을 가함으로써 맛에 깊이가 생겨 맛있어집니다.

브라운슈가 등은 조림 등에 사용하면 야채에 감칠맛을 냅니다. 한편, 케이크 등 단것에 많이 사용되는 백설탕은 정제과정에서 미네랄을 비롯한 영양소와 헤어지기 때문에 '아름다움과 거리감이 있는 단맛'이라고 합니다.

하지만, 야채, 과일의 잼을 만들 때는 이 백설탕이 잡다한 맛 없이 소재의 맛을 충분히 끌어내줍니다. 미용 건강을 위해서는 정제되지 않은 갈색 설탕 쪽이 바람직하기 때문에 몇 번 다른 설탕으로 도전해봤지만, 역시 잼에는 백설탕 외에 생각할 수 없습니다.

즉, 단맛은 만드는 것과 그 때의 상황에 따라 '가려서 사용'하는 것이 중요합니다.

저는 항상 10종류 정도의 설탕을 조금씩 준비해 두었다가 만드는 것에 따라 구분해서 사용하고 있습니다. 여러 가지 단맛을 맛보면서 미각도 연마되므로 추천합니다.

참고로 제가 상비하고 있는 주된 단맛을 94페이지에 소개하였습니다.

"상황에 따라 가려서 사용하기보다는 정말로 미용에 도움이 되는 것만을 먹고 싶어요."

이런 분에게는 야채에 맞는 단맛으로 '메이플시럽'이 좋습니다.

메이플시럽은 미네랄이 풍부하고, 그 뿐만 아니라 혈당치 상승도 완만하게 해주는 다이어트의 든든한 지원군입니다.

단호박 조림을 만들 때 사용하면 반짝반짝 예쁘게 만들어지고, 무침 등에 사용하면 간장을 많이 사용하지 않아도 감칠맛이 높아져서 맛있습니다.

그 외에도 여러 가지가 있으므로 다양한 단맛을 체크해보세요.

당신에게 맞는 단맛을 찾을 수 있기를.

상황에 따라 가려서 사용하고 싶은 단맛의 종류

화삼분당(和三盆糖)
화과자에 사용하는 입자가 매우 가는 설탕. 딸기와 궁합이 OK.

삼온당(三溫糖)
연한 갈색을 한 입자가 조금 큰 설탕. 풍미가 있고 백설탕보다도 단맛이 강하기 때문에 일본요리에 사용하면 감칠맛이 상승.

흑당
사탕수수를 짠 즙을 그대로 조려서 만든 것. 비타민, 철분, 미네랄이 풍부하고 미용에 너무 좋은 단맛.

첨채당
설탕무에서 만들었기 때문에 몸을 따뜻하게 하는 효과를 기대할 수 있다. 또한 올리고당이 함유되어 있기 때문에 배에도 부담이 없다.

미림
찐 찹쌀, 쌀누룩, 소주를 발효시켜서 만든 것. 일본요리에 사용하면 맛있는 맛 & 광택을 낸다. 정말 맛있는 것은 마실 수 있다.

메이플시럽
설탕단풍의 수액에서 만든 것. 미네랄이 풍부하고 붓기 개선에도 효과적. 당의 흡수가 완만하고 다이어트에도 좋다.

야콘시럽
야채인 야콘에서 만든 시럽. 흑당 같은 맛으로 일본요리와의 궁합이 좋다. 올리고당이 함유되어 있기 때문에 장내 환경에도 좋다.

아가페시럽
주로 멕시코 식물이 원료인 단맛. 소량이라도 단맛이 강한 것이 특징.

꿀
꽃의 꿀을 꿀벌이 모아서 만든 것. 소화가 잘 되고 바로 에너지로 변하기 때문에 피로회복에 OK.

미녀는 '향야채' 로 유혹

밸런스 있게 살기 위해 자연과 역사에서 배운 '조상의 지혜'.

그 중에서 대표적인 것이 '향신료' 입니다.

참깨, 차조기 잎, 생강, 양하, 마늘, 파슬리, 파, 유자, 가보스(유자의 일종), 스다치(귤의 일종), 고추냉이, 산초, 고추, 간무 등은 소량이라도 파워 작렬. '식욕 UP', '몸을 따뜻하게 한다', '소화에 도움이 된다', '항균작용' 등 우리 몸을 서포트 해줍니다.

'향이 좋은 야채'를 조미료의 하나로 쓴다

이들 향신료는 요리 할 때 '맛있는 맛' 을 주기 때문에 저는 '조미료' 의 하나로 자주 사용하고 있습니다. '소금', '간장' 등을 쓰기 전에 먼저 향신료로 맛내기.

차조기 잎, 생강, 유자 껍질 등은 가늘게 채썰기 하고 갓 지은 밥이나 초밥용 밥에 섞어서 먹고 있습니다. 특히 몸을 따뜻하게 하는 효과를 기대할 수 있는 생강은 채썰기 한 당근과 같이 조려서 그대로 도시락 반찬으로 하거나 밥에 섞어서 먹습니다.

　호불호가 갈리는 고수, 쑥갓, 산초 순 등의 '향초'는 신선한 것일수록 알싸한 맛이 적고, 맛있기 때문에 다져서 밥에 섞거나 폰즈 소스 등을 가하여 찍어먹는 소스를 만듭니다.

　게다가 다져서 크림치즈, 버터 등에 섞으면 '플레이버 치즈', '플레이버 버터'를 손쉽게 만들 수 있고, 아침식사로 빵을 먹을 때나 홈파티에서 안주의 종류도 많아져서 좋습니다.

　물냉이, 루콜라, 바질 등도 똑같이 사용할 수 있기 때문에 추천합니다.

　또한 버섯류의 향도 얕볼 수 없습니다. 버섯을 요리에 사용할 때, 처음에 기름을 두르지 않고 볶으면 아로마처럼 좋은 향기가 퍼집니다. 향을 내고 싶은 파스타를 만들 때 도전해보세요.

　'향기'는 맛을 좌우하는 것 중 하나. 잘 이끌어내서 보다 매력적인 일품으로 만들어 봅시다.

향초를 즐기는 레시피

쑥갓 고기말이 밥

재료 (2인분)

쑥갓 … 2뿌리
밥 … 2그릇 정도 (360g)
돼지고기 얇게 저민 것 … 8장
간장 … 1큰술
청주 … 1/2큰술
미림 … 1/2큰술
설탕 … 1작은술
참기름 … 적당량

만드는 법

1. 쑥갓을 다져서 갓 지은 밥에 섞는다.
2. 1의 밥을 2장의 얇게 저민 돼지고기로 만다.
3. 달군 후라이팬에 참기름을 두르고 2가 노릇노릇 해질 때까지 굽는다.
4. 3의 프라이팬에 미리 섞어놓은 간장, 청주, 미림, 설탕을 넣는다.

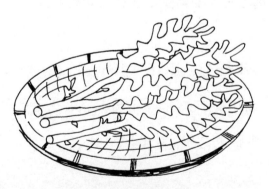

쑥갓을 안 좋아하는 사람도
알싸한 맛을 별로 못 느낄 것

치유의 인테리어가 되는 '야채 재배'

일을 마치고 귀가하면 조금 마음이 치유가 되는 초록색이 방에 있으면 좋겠다고 생각한 적은 없습니까?

모델이나 미용사의 스타일북을 보고 있으면 식물과 꽃이 있는 생활이 부럽지만, 게으른 나에게는 꿈... 하지만 야채에 대해 배우기 시작하고 나서는 이런 저도 멋있는 생활을 즐길 수 있고, 아름답고 기쁜 아이템이 될 수 있다는 것을 알게 되었습니다.

치유된 후에는 맛있게 먹을 수 있는 인테리어

그것은 '새싹'이나 '무 & 당근 잎'입니다. 조금 서민적인 이미지가 있지만, 배치에 따라 즐겁게 감상할 수 있고, 돈을 들이지 않아도 손쉽게 예뻐지는 아이템입니다.

새싹이란 발아 직후의 식물 싹입니다. 먹는 새싹으로 이미지하기 쉬운 것은 무순, 브로콜리 새싹, 적양배추 새싹, 완두콩이 발아한

완두콩 새싹 등입니다.

게다가 새싹 야채의 대부분은 영양가가 높고, 브로콜리 새싹의 경우는 '슬포라판' 이라고 하는 건강효과가 기대되는 피토케미컬이 보통 브로콜리의 몇 배가 된다고 합니다. 새싹야채는 작지만 미라클파워를 간직한 야채입니다.

무, 당근은 가끔 잎이 있는 것을 팔기도 하죠. 그 잎 부분은 버리게 되는데, 그 부분을 버리지 않고 물을 넣은 접시에 놓아두면 1주일도 지나지 않아서 잎이 자라게 됩니다.

무의 잎은 다져서 참기름으로 멸치와 같이 볶아서 가볍게 간장으로 간을 하면 즉석 밥반찬이 완성. 당근 잎은 허브 대신에 디저트 장식으로 이용하거나 합니다.

또한 뿌리야채의 잎은 영양가도 높아서 중요합니다.

이것들의 좋은 점은 한 번만이 아니라 두 번, 세 번 즐길 수 있다는 것입니다.

몇 번이나 수확할 수 있어 지갑에 도움을 주는 미니 텃밭

새싹야채는 씨에서 자란 새싹 부분을 먹는데, 한 번 부엌가위로 싹둑 잘라서 수확해도 바로 또 자라납니다. 브로콜리 새싹은 생으로 샐러드에 넣을 수 있고, 완두콩 새싹은 베이컨과 볶아서 아침식사나 찌개에 넣어도 맛있습니다.

최근에는 잎이 녹색이고 아랫부분이 보라색 등 보기만 해도 귀엽고 힐링되는 야채가 많습니다. 자신이 좋아하는 낮은 유리컵이나 예쁜 그릇에 담아 부엌이나 창가에 놓으면 마음이 누그러집니다.

참고로 15페이지의 녹색 사진은 제가 기르고 있는 야채들입니다. 흙도 베란다도 필요가 없어서 손쉽게 시작할 수 있습니다.

매일 물을 갈아주면 2~3번은 수확이 가능한데, 방 상태에 따라서는 물에 담근 부분에 곰팡이가 생기기 쉽기 때문에 주의가 필요합니다. 생겼다면 새로운 것으로 바꿔야 해서 매일 체크하는 것이 중요합니다.

매일 쑥쑥 자라는 모습에서 야채의 강한 생명력에 감동하고, 무엇보다 생물로서의 애정도 생겨서 따뜻한 마음이 됩니다. 작은 힐링으로 어떻습니까?

제 3 장

두 번 보게 되는 '매력'을
야채로 키운다

'아름다운 피부'와 '야채'는 운명의 파트너

왜 아름다운 피부를 위해 식사를 갖출 필요가 있을까요?

그것은 피부의 구조와 크게 관련되어 있습니다.

우리 피부는 크게 나누면 눈에 보이는 '표피'와 그 안쪽에 있는 보이지 않는 '진피'의 두 가지로 구성되고 있습니다.

토마토를 떠올리면 쉽게 이해할 수 있을 것입니다. 얇은 표면 껍질이 표피이고, 그 안쪽이 진피라는 이미지입니다.

진피는 표피 안쪽에 있고, 피부의 대부분을 차지하고 있기 때문에 피부 본체라고 할 수 있습니다. 그 안에는 주로 '콜라겐', '엘라스틴', '히알루론산'이 있고, 피부를 받치고 형태나 탄력을 유지하는 작용을 하고 있습니다.

진피가 표피를 잘 받치고 있는 '아름다운 피부'의 상태를 만들려면 많은 섬유에서 수분이나 영양을 흡수해서 부풀어 오르게 하는 것이 중요합니다.

아름다운 피부라면 바깥에서 케어를 받는 데 신경을 쓰게 되지만, 화장품의 효과는 진피까지 도달하기 어렵다고 합니다.

피부의 구조를 생각해보면 먹는 것을 조절해서 피부가 기뻐하는 영양을 확실히 진피에 전달하는 내부적인 케어도 필요하다는 것을 알 수 있습니다.

아름다운 피부의 지원군, 비타민 C는 생야채 & 과일에서

아름다운 피부에 필요한 영양소의 대표 '비타민 C'.

이것은 진피를 받치고 있는 콜라겐이 몸속에서 만들어질 때 필요한 것입니다. 강한 항산화작용도 있어서 피부 노화 케어로도 활약. 또한 아름다운 피부의 최대의 적인 스트레스는 비타민 C를 몸속에서 감소시킨다는 말이 있습니다.

"아름다운 피부를 위해서는 야채를 먹어야 합니다.", "스트레스에는 과일로 비타민 C를 보충하세요."라고 하는 것은 많은 비타민 C가 야채 과일에 포함되어 있기 때문입니다.

바쁠 때는 의식적으로 섭취하는 것이 어려울 수도 있지만, 비타민 C는 섭취하면 바로 몸 밖으로 빠져나가는 비타민이기 때문에 매일 식생활 속에서 의식하며 섭취하는 것이 중요합니다.

비타민 C는 '공기', '열', '빛'에 약한 비타민이기도 해서 효과적으로 섭취하려면 생야채나 과일에서 섭취하는 것을 권합니다. 비타민 C가 풍부한 야채 과일은 '브로콜리, 빨간 피망, 감귤류, 딸기, 키위' 등 입니다.

저는 자주 키위를 사두었다가 아침에 반 잘라서 숟가락으로 파서 먹거나, 점심시간에 먹으려고 귤을 챙기고 외출할 때가 있습니다. 손쉽게 비타민 C를 보급할 수 있기 때문에 추천합니다.

비타민 C는 '뿌리기'만 해도

칵테일에 장식으로 나오는 레몬과 같이 레몬, 스다치, 가보스를 반달 모양으로 자르고 짜서 요리에 뿌리기만 해도 비타민 C는 섭취할 수 있습니다.

뿌리는 대상은 차가운 요리 쪽이 비타민 C를 약화시키지 않고 섭취할 수 있습니다. 예를 들어 차가운 메밀국수나 샐러드 등을 떠올릴 수 있습니다.

최근에는 레몬에 기구를 꽂기만 하면 스프레이처럼 레몬즙을 미스트로 짤 수 있는 편리한 도구도 있습니다. 이런 아이템을 잘 사용해서 자주 비타민 C를 즐겨 보세요.

이렇게 '야채의 영양'과 '그것이 어디에, 어떻게 사용되고 있는지'를 아주 조금 알기만 해도 이상적인 피부에 다가가는 속도가 빨라집니다.

Morning

키위

Lunch

굴

Dinner

레몬

한 눈에 반하게 하는 피부에는 '빨간 피망'

아름다운 피부에 없어서는 안 될 영양소로 비타민 C에 대해 설명 했는데, 이 비타민 C를 효율적으로 섭취할 수 있는 야채로 특히 권 하는 것이 '빨간 피망' 입니다.

초록색, 노란색, 오렌지색이 아닌 빨간색 피망은 비타민 C가 풍 부하게 함유되어 있을 뿐 아니라 열에도 잘 파괴되지 않습니다.

대부분의 야채는 가열하면 비타민 C가 파괴되기 쉬운데, 빨간 피 망의 비타민 C는 열에 강한 성질을 가지고 있습니다. 게다가 '일본 식품표준성분표 2015년판(7개 개정)' 데이터에 의하면 녹색 피망 의 약 2배입니다.

그렇다고 해도 의외로 빨간 피망을 판매하는 슈퍼는 녹색 피망에 비해 적습니다. 그러한 경우는 '빨간 파프리카' 도 OK.

빨간 파프리카에 함유된 비타민 C도 빨간 피망과 마찬가지로 가 열에 강하기 때문에 다양한 조리법으로 활용할 수 있고, 빨간 피망 보다도 두껍고 단맛이 나기 때문에 먹기가 좋습니다.

더욱이 가열한 빨간 파프리카는 생으로 먹는 것 보다 단맛이 풍부해져서 맛있습니다. 프랑스에서는 가열해서 먹는 것이 보통이라고 합니다.

저는 자주 빨간 파프리카를 반으로 잘라서 씨를 제거한 후 토스트기로 껍질이 가볍게 탈 정도로 구워지면 껍질을 벗기고 다양한 요리에 사용합니다. "피망의 독특한 향이 싫어요!" 하는 분도 비교적 먹기 좋습니다.

피망의 각가지 색의 비밀

참고로 피망의 녹색, 빨간색의 차이는 수확시기의 차이이며, 품종이 다른 것은 아닙니다.

빨간색은 완숙의 색. 완숙은 '맛있다', '영양이 가득' 하다는 사인이기 때문에 피망에 관해서도 완숙한 빨간 피망의 영양가가 높다는 것을 이해할 수 있습니다.

빨간 피망과 마찬가지로 가열해도 비타민 C가 파괴되지 않는 야채에는 감자, 고구마가 있습니다. 녹말로 비타민 C를 지키는 것이죠. 그렇다고 해도 감자튀김이 아름다운 피부에 좋으냐는 질문에는 많은 유분을 포함하기 때문에 역시 '과식'은 피하는 게 좋습니다라고 대답합니다.

아름다운 피부에 관계가 있는 식재료는 먹는 순간부터 극적으로 피부가 변하는 것은 아니지만, 그 사실을 알고 자신의 피부 상태에 맞춰서 고르고 먹어야 합니다. 그러면 그 작은 실천으로 확실히 이상적인 피부에 다가갈 수 있습니다.

스킨 리셋으로 피부와 마주보기

"야채 습관의 효과를 보다 빨리 실감하고 싶어요!" 하는 분에게 권하고 싶은 것은 파운데이션을 졸업하고 '맨 얼굴 시간'을 늘리는 것입니다. 저는 이것을 '스킨 리셋'이라고 부르고 있습니다.

사실은 데뷔 전의 여배우가 아름다움을 위해 처음 하는 것은 3개월~6개월 동안 썬크림 이외의 메이크업은 전혀 하지 않고 자신의 '맨 얼굴'과 마주보는 것.

파운데이션을 사용하지 않으면 자신의 피부에 핑계를 댈 수 없습니다. 먹은 것이 피부에 여실히 나타나기 때문에 그 결과와 마주하지 않을 수 없습니다. 미각과 마찬가지로 메이크업도 한 번 진하게 하면 점점 진해지게 됩니다. 진하게 하면 할수록 식생활을 바꾸지 않아도 어떻게든 피부를 숨길 수 있기 때문에 몸 안쪽부터의 아름다움은 점점 멀어지게 됩니다.

그렇다고 해서 화장을 하지 않고 출근할 수 있는 사람은 없으므로, 휴일에 화장을 하지 않는 얼굴로 좋아하는 브랜드의 옷을 입어보는 것을 추천합니다.

입어보면 밝은 조명 아래, 큰 거울 속에 '사고 싶을 만큼 마음에 드는 옷'과 '자신의 맨 얼굴'이 나란히 있게 됩니다. 상상 이상의 긴장감에 놀랄 것입니다.

맨 얼굴일 때 어울리는 옷은 자신이 뿜어내는 분위기에 맞는 옷이기도 합니다. 내가 좋아하는 브랜드의 옷이 화장을 안 해도 어울리게 된다면... 그만큼 기쁜 일은 없죠.

자신의 '맨 얼굴'과 마주보는 것은 식생활을 재검토하는 계기가 되기도 하고, 야채를 먹는 식생활을 계속 이어가는 동기 부여로도 이어질 것입니다.

아름다운 피부를 목표로 하는
빨간 파프리카 레시피

빨간 파프리카 속 닭고기 구이

재료(2인분)
빨간 파프리카 … 1개
닭 넓적다리살 … 150g
양파 … 1/2개
바질, 치즈 … 취향에 따라
소금 … 1/2작은술 ~ 적당량
후추 … 적당량
올리브오일 … 적당량
청주 … 1큰술

만드는 법
1. 빨간 파프리카는 씨를 제거하고 4개로 둥글게 자른다. 양파 & 바질 & 치즈는 잘게 다진다.
2. 양파를 올리브오일을 두른 프라이팬으로 볶고 투명해지면 볼에 넣는다. 열이 식으면 빨간 파프리카, 청주 이외의 재료를 넣고 잘 섞는다.
3. 불에 올리고 올리브오일을 두른 후라이팬에 빨간 파프리카를 놓고, 2를 파프리카에 채운 후, 청주를 둘러 뿌리고 뚜껑을 닫고 찐다. 뒷면도 굽는다.

빨간 파프리카 샐러드

재료(2인분)
빨간 파프리카 … 1개
참치캔 … 1캔
알마스타드 … 2작은술
바질잎 … 취향에 따라

만드는 법
1. 빨간 파프리카는 반으로 잘라 씨를 제거하고 토스트기로 탈 때까지 굽는다. 식혀서 껍질을 벗기고 잘게 다진다.
2. 1과 참치캔, 알마스타드, 바질잎을 넣고 섞는다.

'오크라'의 보수력(保水力)을 빌린다

누구나 동경하는 아름다운 피부 이미지는 '촉촉하게 빛나는 피부'가 아닐까요?

여름에 하루 종일 에어컨 바람을 맞고도 건조하지 않는, 수분을 듬뿍 머금은 촉촉한 피부.

촉촉한 아름다운 피부로 이끌기 위해서 스킨, 에센스, 고가의 짙은 크림 등 코스메틱 코너에는 수많은 화장품이 줄지어 있습니다. 그 중에서도 '촉촉함'이라는 점에서는 히알루론산을 사용한 화장품이 많습니다. 히알루론산은 1g에 6ℓ의 물을 저장할 수 있을 만큼 보수력이 있다고 합니다.

사실은 야채 중에서도 히알루론산만큼 보수력을 가진 야채가 있습니다. 그것은 '오크라'입니다.

'히알루론산' 만큼의 보수력을 가진 야채

오크라의 끈끈한 성분의 정체는 '뮤신'. 낫토, 토란, 마 에도 함유되어 있어서 지친 위장을 치유해준다고 합니다. 놀랄만한 것은 그 수분을 캐치하는 힘입니다.

　저는 여름에 자주 솜털을 제거한 오크라를 소금을 넣고 가볍게 데친 후 냉수로 식히고 잘게 다져서 국수장국, 참깨소스 등을 넣고 우동과 섞습니다. 그때 오크라의 끈끈함이 놀라울 만큼 장국의 수분을 잡아 주었습니다. 정말로 너무 끈기가 강해져서 접시에서 떨어지지 않는 일도 종종 있을 정도.

　그 외에 접시 바닥에 야채 엑기스가 남아 있는 것 같은 파스타를 만들 때는 가볍게 데치고 잘게 다진 오크라를 올리고 섞어서 먹으면 한 접시에 퍼진 여러 영양소를 남김없이 먹을 수 있습니다.

　그대로 둥글게 잘라서 닭 육수나 된장국에 넣으면 물에 푼 녹말가루를 넣었을 때와 같이 걸쭉해집니다.

끈적끈적한 오크라 레시피

오크라 생강 스프

재료(2인분)

오크라 … 6개
닭 육수(과립) … 2큰술
물 … 4컵
간장 … 1큰술
다진 생강 … 1큰술
소금, 후추 … 적당량

만드는 법

1. 오크라를 망으로 문지르듯 씻고 솜털을 제거한다.
2. 냄비에 물을 넣고 끓이고 닭 육수, 둥글게 자른 오크라, 간장, 다진 생강을 넣고 끓인다.
3. 소금, 후추로 가볍게 간을 한다. (취향에 따라 닭고기 완자, 삶은 소면을 넣어도 OK).

오크라 토마토 냉 카펠리니

재료(2인분)

오크라 … 3개
토마토 … 중 1개
카펠리니 … 1인분
참치캔 … 1/2캔
마늘 … 1/2쪽 정도
올리브오일 … 1~2큰술
레몬즙 … 조금
소금, 후추 … 적당량

만드는 법

1. 데친 오크라, 토마토, 마늘을 먹기 좋은 크기로 자르고 참치, 올리브오일, 소금(분량 외), 레몬즙으로 무쳐 놓는다.
2. 카펠리니를 삶고 냉수로 식힌다.
3. 1과 2를 섞고 소금, 후추로 간을 한다.

피부가 한 살 더 나이 드는 가을에는 '감'

여름에 햇볕에 타서 기미, 주근깨가 신경이 쓰인다는 분이 많으실 겁니다.

저도 일단 썬크림과 모자, 양산 등으로 자외선을 차단하지만, 가끔씩 케어를 뒷전으로 하고 놀아버리는 경우도 종종 있습니다. "아, 놀아버렸네." 하고 순간 반성하지만, 지나가버린 일은 생각해도 어찌할 수 없습니다. 여름에 커버할 수 없었던 부분은 가을, 겨울에 되돌리면 됩니다.

이럴 때 추천하는 것이 가을이 제철인 '감' 입니다.

감은 과일 중에서도 비타민 C가 풍부합니다. 항산화작용이 기대되는 '베타 크립토산틴' 도 함유되어 있습니다.

또한 'L-시스테인' 이라고 하는 기미, 주근깨 예방과 관계가 깊은 성분이 함유되어 있고, 다양한 연구도 진행되고 있습니다. 여름에 지친 피부를 케어해야 할 때쯤 제철을 맞은 감이 있다니 역시 자연의 힘은 신기하군요.

감을 디저트가 아니라 요리로 먹는다

감은 한 번에 많이 먹거나 밤에 먹으면 몸을 차갑게 하기 때문에 저는 감을 과일로 먹지 않고 요리해서 먹고 있습니다.

최근에는 식초도 진화하고 있어서 부드러운 것이 많은데, 감을 식초로 무치면 단맛이 퍼져서 전체 밸런스가 좋아집니다.

그리고 일본의 원조 드라이후르츠 '곶감'은 베타카로틴의 양이 생감의 약 3배로 아름다운 피부를 목표로 하는 여성에게는 반가운 간식입니다. 단 것을 먹고 싶을 때는 저도 자주 먹고 있습니다. 크림치즈와 같이 크래커에 올리고 파티 기분으로 즐기는 것도 맛있습니다.

감은 아름다운 피부에 좋을 뿐만 아니라 숙취의 강한 지원군 '탄닌'도 풍부하게 함유하고 있습니다. 반주가 즐거워지는 가을, 겨울에 의식을 하면서 먹어보세요.

반찬으로서의 감 레시피

감과 무 식초절임

재료(2인분)

감 … 1개
무 … 1/3개
초밥식초 … 1큰술
소금 … 조금
갈은 흰깨 … 취향에 따라

만드는 법

1. 감과 무는 껍질을 깎고 채썰기 한다.
2. 1에 소금 조금과 초밥식초를 넣고 숨이 죽을 때까지 무친다.
3. 취향에 따라 갈은 흰깨를 뿌린다.

감 샐러드

재료(2인분)

감 … 1개
순무 … 1개
생햄 … 3장
어린잎채소 … 취향에 따라

만드는 법

1. 감, 순무는 껍질을 깎고 반으로 자르고 반달모양으로 얇게 썬다.
2. 접시에 베이비리프, 감, 순무, 생햄을 담고 수제 드레싱 등을 뿌린다.

※ 수제 드레싱 예는 51페이지 참조.

건성피부는 '가지' + '기름' 으로 격퇴!

아름다운 피부를 만드는 방법으로써 오렌지색 야채(단호박, 당근 등)를 가열하거나 '양질의 오일'과 함께 하는 것이 효과적이라고 했는데, 하나 더 권할만한 방법이 있습니다.

그것은 요리 마무리에 '가지'를 넣어 프라이팬이나 냄비에 남아 있는 재료에서 나온 영양을 남김없이 흡수시키는 방법입니다. 이 경우, 조리의 마지막 단계에 가지를 넣어 잘 익을지 걱정이 되는 분은 가지를 먼저 기름을 두르지 않은 프라이팬에 구어두면 됩니다.

특히 양질의 오일을 사용한 요리의 경우는 사용하는 오일의 양이 소량이면 가지를 마지막에 넣어서 효율적으로 섭취할 수 있도록 합니다.

아무리 가지와 함께 하면 좋다고 해도, 양질의 '우등생 오일'을 고르는 것이 필수조건입니다.

'우등생 오일'을 고르는 포인트

　지질은 탄수화물, 단백질과 더불어 중요한 에너지원의 하나입니다. 탄수화물이 몸을 움직이는 에너지, 단백질이 몸의 형태를 만드는 것이라고 하면, '지질 = 양질의 오일'은 몸에 섭취한 영양소를 구석구석까지 전달하는 역할을 가지고 있습니다.

　양질의 오일은 수분만으로는 보완할 수 없는 촉촉함을 피부에 주기 때문에 야채와 같이 섭취함으로써 두배로 아름다운 피부 효과를 기대할 수 있습니다.

　참고로 모든 오일류에 해당되는 것이지만, 개봉 후에는 1~2개월 반 이내에 전부 사용하는 것이 이상적입니다. 아름다움을 위해서 잊지 말아야 할 룰입니다.

　저는 조금 큰 병을 샀을 때는 DC마트 등에서 작은 병을 여러 개 사서 사용할 만큼의 양을 옮겨 담아 냉장고에 보관합니다. 냉장고에 넣으면 오일에 따라 얼기 때문에 사용할 때까지 산화를 방지할 수 있습니다. 냉장고에서 꺼내면 다른 식재료와 달리 바로 녹기 때문에 병을 통째로 냉장보관 하는 것도 추천합니다.

양질의 오일은 미용에 좋을 뿐만 아니라 야채를 보다 맛있게 먹을 수 있게 하는 아이템이기도 합니다. 요리에 따라 맞는 오일을 사용하고 즐기는 것도 중요합니다.

참기름은 만드는 과정에서도 참깨를 볶는 방법에 따라 농도가 변합니다. 참깨를 볶지 않는 것은 거의 투명하고 향이 없는 참기름. 참깨를 강하게 볶은 것은 갈색이고 향도 강한 참기름입니다. 참깨는 볶을수록 풍미가 강해지기 때문에 만드는 요리에 맞춰서 사용하고 있습니다.

제가 가장 많이 사용하는 것은 전자의 색이 연한 참기름입니다. 올리브오일이나 색이 진한 참기름 등은 풍미가 강하기 때문에 일식에는 안 맞습니다. 가볍게 야채 그 자체의 맛을 살리고 싶을 때의 볶음요리는 색이 연한 참기름이 좋습니다. 샐러드유만을 사용하는 생활에서 졸업하기만 해도 식생활에 대한 흥미, 관심이 올라가죠.

예전에는 피부를 촉촉하게 하기 위해 고액의 에센스를 구입했는데, 최근에는 몸 안의 오일 케어만으로 화장품에 돈을 투자하지 않아도 1년 내내 촉촉함을 유지할 수 있게 되었습니다. 야채와 마찬가지로 오일도 질이 생명. 오일의 세계도 심오하기 때문에 한 번 발을 들여놔 보세요.

양질의 오일을 가려서 쓰다

●가열 OK인 오일

이것들은 가열해도 쉽게 산화되지 않기 때문에 일상적으로 사용하기에 편리합니다. 요리의 풍미를 더하거나 감칠맛을 더하기에도 적합합니다.

스위트아몬드 오일
비타민 E가 풍부하고 노화방지 케어. 굽는 과자에 좋다.

인카인치 오일
미용에 없어서는 안 된다고 하는 오메가3 계열 지방산이 풍부하고 혈액미인의 지원군.

참기름
노화방지 케어, 적당량으로 콜레스테롤을 낮추는 효과를 기대할 수 있다.

●차가운 상태가 좋은 오일

이것들도 아름다워지는 오일인데 가열하면 미용에는 적합하지 않게 변화하는 것, 좋은 향을 살릴 수 없는 것도 있기 때문에 당근이나 토마토주스에 1작은술 넣고 그대로 마시는 것이 좋습니다.

아마인 오일
아름다운 피부, 다이어트와 관계가 깊고, 모델들이 애용한다고 합니다.

들기름
매일 건강을 서포트. 산뜻하고 매일 섭취하기 쉽다.

EX 버진 올리브오일
풍부한 향으로 샐러드 드레싱이나 빵에 찍으면 OK

수면부족 다크서클에는 '시금치'

  수면이 부족한 아침. 거울을 보고 깜짝! 마치 3살, 5살을 한꺼번에 먹은 것 같은 다크서클이 생겼다, 이런 경험은 없습니까?

  장시간 잠을 못 자 혈액순환이 안 좋아지면 '거무칙칙' '다크서클'을 일으키고, 뭔가 어두운 인상을 만들죠. 저도 자주 밤을 새우기 때문에 어떤 영양소를 자주 섭취해서 커버하고 있는데, 그것이 바로 '철분' 입니다.

피부의 투명도를 향상시키고 피부결을 정돈한다

  여성은 그렇지 않아도 매일 화장을 지울 때 마찰을 주어 피부를 자극하기 때문에 조금이라도 음식으로 투명도를 올리는 케어에 신경 쓰는 것이 중요합니다.

  철분을 많이 함유하는 야채는 '시금치', '소송채' 입니다.

시금치 등 식물성 음식이 철분 흡수율은 참치, 간, 바지락 등 동물성 음식에 비하면 조금 떨어지지만 가격이 저렴하고 손쉽게 섭취할 수 있다는 점에서는 우세합니다.

제 1장에서는 소송채가 철분이 많다고 설명했는데, 가열 후에 부피가 줄고 많은 양을 먹을 수 있다는 점에서는 시금치가 뛰어납니다.

철분은 비타민 C와 같이 섭취하면 몸의 흡수율을 높이기 때문에 데친 시금치에 무를 갈아올리고 폰즈를 뿌리거나 감귤류 드레싱을 뿌리는 것을 추천합니다.

밤을 샌 날의 점심에는 참치덮밥에 시금치나 소송채 나물, 바지락 된장국을 더하면 완벽합니다. 그 외, 시금치는 김밥의 재료로 하거나 만두 속에 넣으면 어린 아이도 쉽게 먹을 수 있어서 좋습니다.

의식적으로 계속해서 섭취하면 투명감 있는 아름다운 피부도 꿈이 아닙니다.

최근에는 데칠 필요가 없는 샐러드 시금치나, 마켓에서 판매하고 있는 매우 신선한 것이라면 데치지 않고 생으로 먹을 수 있으므로 한번 시도해보세요.

시금치로 철분 섭취

시금치 팬케이크

재료(4인분)

시금치 … 3묶음
팬케이크 가루 … 150g
달걀 … 1개
두유 … 100ml
버터 … 적당량
메이플시럽 … 취향에 따라

만드는 법

1. 데쳐서 물기를 짠 시금치와 두유, 달걀을 믹서에 넣고 간다.
2. 볼에 1과 팬케이크 가루를 넣고 섞는다.
3. 버터를 두르고 가열한 프라이팬에 2를 넣는다.
4. 표면에 포글포글 골고루 기포가 생기면 뒤집고 양면이 노릇해지면 완성. 취향에 따라 메이플 시럽 등을 뿌린다.

베이컨과 달걀프라이를 올리고 아침식사로도!

마성의 바디라인은 '따뜻한 양파'로 만든다

   한번 더 돌아보게 하는 '매력' 있는 몸매를 만들려고 할 때, 가장 가꾸고 싶은 신체 부위는 '잘룩한' 허리라는 소리를 자주 듣습니다.

   굴곡이 있는 여성스러운 라인을 실현하기 위해서 저는 안과 밖 양면으로 접근하고 있습니다.

   밖에서 도전하고 실천하고 싶은 것은 '복근운동 100회!'가 아니라 먹을 때의 '자세'를 신경 쓰는 것.

   일상생활에서 아름다운 '자세'를 유지하려는 마음가짐은 자연스럽게 복근운동으로 이어집니다. 자세에 대한 의식이 습관화되면 힘든 운동 횟수에서도 해방. 어느 날 이상적인 허리 라인에 가까워져 있습니다.

   몸 안에서의 케어는 내장의 환경을 정비하는 것을 의식하고 있습니다.

쏙 들어간 '굴곡' 있는 허리를 만들기 위해서는 변비 등은 안 될 말씀. 볼록한 배와 헤어질 필요가 있습니다.

변비 개선에는 식이섬유를 섭취하는 것이 바람직하기 때문에 야채를 좋은 밸런스로 섭취할 것.
그리고 장이 기뻐하는 식사를 하는 것이 중요합니다.

장이 기뻐하는 '구운 바나나', '갈색 양파'

특히 추천하고 싶은 것은 '사과', '바나나', '양파'를 따뜻하게 해서 먹는 것.

이것들은 따뜻하게 함으로써 함유된 올리고당의 효과를 쉽게 느낄 수 있게 된다고 합니다. 올리고당은 달고 맛있을 뿐만 아니라 장을 깨끗하게 해주는 미용에도 좋은 단맛입니다.

양파를 서서히 가열하면 단맛이 나는 것은 잘 아는 이야기지만, 그냥 맛있어지기만 하는 것이 아니라 장에도 반가운 관계성이 있으므로 카레를 더하여 맛있는 '갈색 양파'를 만드는 것도 힘들지 않겠죠.

바나나는 토스트에 얹어 같이 구워도 OK입니다.

또 프라이팬으로 '구운 사과'를 만드는 것도 추천합니다. 아몬드 오일이나 코코넛 오일을 두르고 가열한 프라이팬에 씨 부분을 제거하고 1cm 정도 두께로 껍질 채로 자른 사과를 올리고 뚜껑을 달아 양면을 굽습니다. 시간이 오래 걸리지 않고 촉촉하게 맛있어져서 아침식사에 좋습니다.

'찐 야채'로 평생 요요현상은 없다

　손쉽게 할 수 있고, 맛있게 먹을 수 있고, 아름다움도 손에 넣을 수 있다.

　이런 마법 같은 식사가 '찐 야채' 입니다.

　'찐다'는 조리법은 야채의 본래 맛과 단맛을 끌어내고 몸에도 즐거운 방법. 게다가 불에 올려놓기만 하면 되는 간단한 조리법입니다.

　야채를 싫어했던 분도 찐 야채를 계기로 야채가 좋아졌다는 이야기를 자주 듣기 때문에 시도하지 않을 수 없습니다.

　'찐다'라는 조리법의 좋은 점은 '삶다', '굽다', '튀기다' 등 다양한 조리법 중에서도 가장 효율적으로 영양을 섭취할 수 있다는 점입니다.

　야채에 함유된 대부분의 영양소는 삶으면 흘러나오기 쉬우므로 예를 들어, 삶을 경우 삶은 국물채로 먹는 것이 베스트입니다. 이에 비해 '찜'은 야채의 비타민이나 미네랄을 야채 속에 가둬둘 수 있기 때문에 야채의 영양소를 통째로 먹을 수 있습니다.

생야채를 먹는 것보다도 몸을 따뜻하게 하기 때문에 몸이 차가운 분에게도 권합니다.

전자레인지보다 쪄서 단맛이 나는 조리법

더욱이 찐 야채는 영양뿐만 아니라 야채의 '맛' 과 '단맛' 을 더해 줍니다. 야채는 신선한 것을 먹는 것이 맛있는데, 어쩔 수 없이 구입하고 나서 2~3일 경과하는 경우도 있죠?

그럴 때 이 '찜' 이라는 마법을 걸면 극적으로 맛있어집니다. 혀도 "야채는 맛있구나." 하고 느끼기 시작하여 미각도 변하고 야채를 원하게 됩니다.

특히 단호박, 고구마, 감자 등 전분을 많이 함유한 야채는 찌면 단맛이 쭉 올라갑니다. 야채의 전분은 천천히 저온으로 가열함으로써 보다 달게 변신합니다. 전자레인지 등으로 급격하게 가열하면 단맛을 별로 느낄 수 없습니다.

쪄서 천천히 가열하고 단맛을 끌어낸 야채의 맛, 특히 단호박의 단맛은 각별합니다.

프라이팬으로도 찐 야채를 만들 수 있다

찜이라고 하면 대부분의 사람은 찜통 등을 떠올려서 "먼저 조리기구를 준비해야 하는데…"하고 생각할 수 있는데, 처음에는 '찌고 굽기' 부터 시작해도 됩니다. 1cm 두께로 얇게 자른 단호박이나 손으로 찢은 야채를 프라이팬에 올리고 2큰술 정도의 물을 넣고 약한 불로 뚜껑을 닫으면 빠르면 10분 정도면 쪄집니다.

다만, 찐 야채를 다음날 먹을 때는 야채 표면에 묻은 수분에 잡균이 번식하기 때문에 반드시 재가열해서 먹습니다.

저는 자주 찐 고구마나 단호박을 올리브오일을 두른 프라이팬으로 표면을 바삭하게 굽고 아침식사로 먹습니다. 양질의 오일과 같이 먹으면 단호박의 베타카로틴 흡수율이 높아지고 아름다운 피부 효과로 이끌어줄 것입니다.

그릇에 맞춰 '식욕' 컨트롤

　제가 지금보다 15kg 더 살이 쪘을 때, 입버릇은 "귀찮아." 였던 것이 생각납니다.

　"요리는 귀찮아." 하면서 만들어 놓은 요리나 패스트푸드를 잔뜩 사 오는 생활. 그것뿐만 아니라 한 때는 사온 반찬을 접시에 담으면 씻는 것이 귀찮아 '종이접시, 나무젓가락, 종이컵 생활'을 했었습니다.

　당시, 이 사실을 친구에게 이야기하면 정색을 하면서 "그런 생활을 하는 여자를 사랑하는 남자는 없을 테니 절대로 그렇게 말하지 마!"하고 충고를 할 정도였습니다.

　지금 생각해보면 이 극단적인 '귀찮음'이 제 몸무게를 컨트롤할 수 없었던 원인이었다고 생각합니다. 물론, 너무 피곤할 때나 바쁠 때는 이렇게 해도 되겠지만 말입니다.

　저의 괴로운 요요현상 시절과 현재를 비교했을 때 크게 다른 점을 생각해보면 그릇을 사용하는 방법을 들 수 있습니다. 예전에는 무조건 손쉬운 종이접시였는데, 지금은 까다롭게 고른 그릇으로 바뀌었습니다.

그릇으로 먹는 양을 생각한다

'그릇으로 먹는 양을 생각한다'는 것도 다이어트에는 중요합니다. 귀가 중 극심한 공복상태에서 "오늘은 요리하기 싫어!"하는 생각이 들수록 이상하게 많은 음식을 사게 됩니다.

그런데 그런 타이밍에 한 호흡 쉬며 자기 마음에 드는 그릇을 떠올리고 나서 사도록 해보세요.

"이 조림은 저 그릇에 담아볼까?"

"튀김은 얼마 전에 산 네모난 접시에 담고 싶으니까 2개가 적당할 것 같은데."

이렇게 그릇을 떠올리고 살 음식을 생각하면 먹는 양을 컨트롤하는 일도 즐길 수 있게 됩니다. 물론, 꽤 큰 접시를 산 경우는 다른 문제입니다.

그릇의 선택 단계부터 아름다움을 의식하는 것도 중요합니다. 흔히 다이어트 성공을 위해서는 실제 사이즈보다 작은 옷을 산다고 하는 고전적인 방법이 있는데, 그릇도 같은 원리인 것 같습니다.

일본에는 옛날부터 각 지방마다 전해져 내려 온 도자기도 많고, 최근에는 작은 그릇이 유행이어서 일본 식기를 모으는 사람도 늘고 있습니다. 작은 식기는 야채를 70g씩 담을 수가 있기 때문에 사용하면 하루 목표로 하는 야채의 양을 감각적으로 기억하기 쉽습니다.

전통적인 것도 멋있지만, 귀엽고 예쁜 그릇도 저렴한 가격으로 구입할 수 있으니 "맛있는 것을 조금씩." 이라는 생각으로 마음에 드는 그릇을 찾아보세요.

일본 식기 이외에는 하얀 그릇도 야채로 아름다움을 만들 때 중요한 아이템입니다. 그릇을 하얀 도화지처럼 생각하고 야채나 반찬의 색감을 생각합니다. 최소 3색을 이미지하면서 사면 밸런스가 잡힌 한 접시가 되기 때문에 패션의 칼라 코디를 즐기는 감각으로 의식해보세요.

SNS에 올릴 수 없는 것은 먹지 않는다

페이스북, 트위터, 블로그에 인스타그램. 다양한 SNS가 있는데, 매일 식사를 올리는 분도 많죠.

그 중에서도 인스타그램은 말보다도 사진으로 생각을 세계에 전달할 수 있는 수단입니다. 들어보니 그 사람이 좋아하는 분위기나 세계관을 알기 쉬워서 자신이 '좋아하는 것'을 모은 보물상자 같습니다. "귀여운 소품이 있었어요.", "이 패션 좋아해!", "예쁜 풍경", "추억의 순간" 등등.

스마트폰이든 디지털카메라든, 제가 셔터를 누르는 순간은 무언가에 감동해서 "이 감동을 기록해두고 싶어!" 하고 생각할 때인데, 여러분은 어떤가요?

자신이 '좋아하는 것'이나 '설렘'을 확인하는 행위는 다이어트에도 효과적입니다.

눈앞의 식사에 설레고 있는지

저는 항상 제 눈을 카메라 렌즈처럼 사용하고 있습니다. 눈앞에 있는 식사에 내 마음이 움직이고 있는지 확인하고 있습니다. 제 마음이 설레고 있다면 먹어도 OK.

설레지 않거나 사진을 찍고 싶지 않을 때는 "정말로 먹고 싶어?" 하고 제 자신에게 물어보고 "충동적으로 먹고 싶구나." 하고 판단하면 먹지 않고 있습니다.

미용이나 다이어트에는 조금 안 좋은 음식이라도 나도 모르게 SNS에 올리고 싶을 만큼 매력을 느끼고 있다면 저는 먹어도 된다고 생각하고 있습니다.

제가 항상 개인 카운슬링으로 전하고 있는 것은 자신이 좋아하는 것을 존중하면서 아름다워지는 방법입니다.

평소 식생활에도 '좋아하는 것'을 최우선으로 활용하고, 야채를 자기편으로 만들면서 전후 식사를 조절합니다. 영양학적으로 미용에 좋지 않은 음식이라도 좋아한다면 양 조절은 필요하지만 전혀 먹지 않고 꼭 참을 필요는 없다고 생각하고 있습니다.

저도 예전에는 도넛을 계속 먹었지만, 그 때 사진을 찍은 적은 한

번도 없습니다.

저 같은 경우, 도넛은 '먹고 싶다' 는 매력을 도넛 자체에서 느꼈던 것은 아니었지만, 마음의 구멍을 채우기 위해 먹고 있었습니다. 이것은 진심으로 좋아하는 것, 먹고 싶은 것이 아니어서 참았어야 했습니다.

이러한 '정말로 먹고 싶은 것' 과 먹고 싶을 만큼 매력을 못 느끼는데 '나도 모르게 먹게 되는 것' 을 구별하는 힘이 사진에는 있습니다.

SNS를 다이어트의 지원군으로 만든다

또 SNS는 다이어트에도 사용할 수 있습니다. 매일 식사를 메모하는 대신 사진을 모아서 한번에 체크할 수 있기 때문에

· 무엇을 얼마만큼 먹었는지
· 녹황색 야채와 담색 야채의 비율
· 무슨 색이 많은지

등을 객관적으로 볼 수 있습니다.

외식으로 자기가 어떤 음식을 좋아하는지도 파악할 수 있습니다.

사진으로 기록하는 것이 습관이 되면 먹은 시기와 몸, 피부 상태가 링크해서 무엇을 먹었을 때 어떻게 된다는 자신의 피부나 몸 상태의 변화를 느낄 수 있습니다. 자신의 데이터를 모으는 것에도 도움이 되겠습니다.

제 **4** 장

'제철'을 사랑하는 여유가
'아름다움'을 낳는다

봄 여름 가을 겨울, 좋은 점만 가득!

'제철' 음식이 몸에 좋다는 것은 유명한 이야기지만, 도대체 '제철'이란 무슨 말일까요?

간단하게 말하자면 '제철'이란 "지금 오고 있어!", "지금 에너지가 높아!"라는 것입니다. 패션잡지에서도 '제철 아이템'이라는 기사가 있듯 음식에 한정되지 않고 '물건, 일, 사람' 등 다양한 분야에도 해당합니다. 야채의 경우는 다른 시기보다도 신선하고 맛있게 먹을 수 있는 시기가 됩니다.

제철 야채를 찾아내는 비결은 '가격'과 '부스'

제철 야채는 철이 아닐 때의 야채와 비교해 영양가에 차이가 있습니다.

'일본식품표준성분표 2015년판(7개정)'에 의하면 시금치에 함유된 비타민 C의 양은 여름과 비교해 제철인 겨울에 약 3배. 그 외 야채도 철이 아닌 시기와 비교해 약 2~3배 가까이 차이가 있다고 합니다. 즉, 여러 가지 야채의 제철시기를 알고 있으면 보다 효율적으로 영양소를 섭취할 수 있어서 아름다움의 지름길이 됩니다.

더욱이 제철 야채는 시장에 많이 나오기 때문에 가격도 다른 시기보다 저렴합니다.

이렇게 제철 야채는 슈퍼에서 평소보다 싼 가격이거나, 대량으로 눈에 띄는 곳에 판매 부스가 만들어져 있기 때문에 제철의 감각을 잘 모를 때는 슈퍼에서 어떻게 다루고 있는지를 기준으로 하는 것도 좋은 방법입니다.

제철 야채란 그 계절의 어려움을 극복하고 싹을 낸 야채들이기도 합니다.

봄 야채는 긴 겨울을 견디고 싹을 내는 에너지를 가지고 있습니다.

여름 야채는 우리가 지칠 정도의 더위 속에서 열매를 맺는 에너지를 가지고 있습니다. 가을 야채는 힘겨운 더위를 발판삼아 수확을 기다리는 에너지를 가지고 있습니다. 겨울 야채는 추운 날씨에도 지지 않는 에너지를 가지고 있습니다.

제철 야채를 먹는 것은 야채들이 그 환경에 살아남은 파워를 먹는 것으로 당연히 몸에도 무리가 없고 좋습니다.

각 계절의 야채 파워

대략적인 설명이지만, 제철 야채는 우리 몸을 서포트 해주는 존재. 철에 따른 생활은 자기 몸에 무리한 부담을 주지 않고 부드럽게 하는 것이기도 합니다. 소중한 사람을 대접하는 감각으로 활용하고 자신을 위로해주세요.

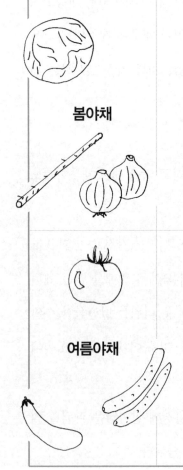

봄야채

싹 야채가 제철을 맞는다. 머위, 고비, 두릅 등 산채류를 비롯한 야채가 가진 쓴맛은 식물성 알칼로이드. 우리가 겨울에 비축한 것을 해독해주는 작용이 있는 것이 특징. '햇 양파', '봄 양배추' 등 수분 량이 많고 부드러운 야채도 등장.

(봄야채에 대해서는 144페이지부터)

여름야채

흔들흔들 거리는 토마토, 오이, 가지 등 '매달리는 야채'가 제철을 맞이한다. 매달리는 야채는 여름에 달아오른 몸을 차게 내려주는 작용이 있는 미네랄의 일종인 칼륨이 풍부. 싱싱한 야채에 많이 함유된 칼륨은 '붓기 해소'에도 관계가 있고, 일을 하고 피곤한 다리에도 효과적.

(여름야채에 대해서는 150페이지부터)

가을야채

여름에 지친 몸을 치유해주는 소화 흡수에 좋은 야채가 제철을 맞이한다. 고구마나 연근, 참마, 버섯류도 풍부하다. 느긋하게 불에 익혀서 단맛을 끌어내 만족감이 있는 식사가 된다. 가을 야채를 섭취하여 자연의 단맛을 몸이 기억하고 필요 없는 당분을 원하지 않게 되어서 다이어트 효과도 기대할 수 있다.

(가을야채에 대해서는 155페이지부터)

겨울야채

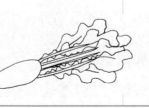

흙 속 야채가 주로 제철을 맞이한다. 음양오행설에서는 흙 속에서 나는 것 '양성 = 몸을 따뜻하게 하는 것'이라고 한다. 그래서 가열한 당근, 무 등을 중심으로 한 겨울 야채는 몸을 안에서부터 따뜻하게 한다고 옛날부터 전해지고 있다. 그 외에 시금치, 소송채, 배추 등 잎야채도 달고 맛있어진다.

(겨울야채에 대해서는 160페이지부터)

미녀의 봄은 'NEW 야채'로 시작한다

봄은 기본적으로 유채나 산채류 등 쓴맛 야채가 많은 계절인데, 하나 더 잊지 말아야 하는 것이 '햇' 자가 붙는 야채들의 존재입니다.

주로 '햇양파', '햇감자', '햇우엉' 등입니다. 일반적으로는 빨리 수확하고 바로 출하한 것이며, 봄에 가장 많이 볼 수 있습니다. 특징은 일반적인 것보다도 수분 량이 많고 싱싱하고 부드러운 점.

쓴맛을 극복하고 디톡스 효과를

양파가 가진 영양소는 열에 약하기 때문에 생으로 먹는 편이 좋지만, 먹기 힘든 것이 사실입니다. 특히 마늘이나 양파를 잘랐을 때 눈물이 나오는 향성분 '유화알릴(sulfide)'은 혈액의 찌꺼기를 깨끗하게 하고 순환이 잘 되게 해주는 작용을 기대할 수 있기 때문에 가열하지 않고 먹는 기회를 늘리는 것이 좋습니다.

하지만 매운맛이 강해서 못 먹는 사람도 많은 것이 현실. 이러한 분에게 추천하고 싶은 것이 햇양파. 자른 후 오랫동안 물에 담그지 않아도 단맛이 있기 때문에 생으로 먹을 수 있는 반가운 존재입니다.

저는 자주 얇게 썬 생양파를 엑스트라 버진올리브오일, 레몬즙, 소금, 후추로 무쳐서 구운 돼지고기에 곁들입니다. 잔멸치, 참기름, 간장, 차조기 잎과 같이 무치는 것도 상쾌하고 맛있습니다.

같은 초여름에 나오는 빨리 수확한 햇우엉도 평상시의 것보다 먹기 좋은 야채입니다. 껍질은 떫은맛도 적고 너무 부드러워서 요리에도 사용하기 쉽습니다.

우엉에 함유된 식이섬유 양은 야채 중에서도 최상위급! 해독을 위해서도 적극적으로 활용하고 싶은 야채입니다.

우엉은 조림 이미지가 강해서 조금 어려워하는 분도 많을지 모르지만, 사용방법에 따라서는 요리에 독특한 풍미와 향을 더해줍니다.

'햇' 자가 붙는 야채를 활용하기만 해도 평소 식탁이 신선한 분위기가 되기 때문에 슈퍼에서 이들을 보면 도전해보세요.

NEW 야채를 사용한 조리법

NEW 야채 카레

재료(2~3인분)
무 … 1/2개
햇우엉 … 1개 정도
햇양파 … 1개
닭 넓적다리살 … 200g
다진 생강 … 1큰술
가다랑어포 육수(물) … 500ml ~ 700ml
고형카레 … 약 3/4 상자
청주 … 3큰술
간장 … 1큰술
참기름 … 적당량

만드는 법
1. 햇양파는 가늘게, 햇우엉과 무는 가볍게 껍질을 깎고 먹기 좋은 크기로 자른다.
2. 햇양파를 참기름을 두른 냄비로 잘 볶고, 닭 넓적다리살, 햇우엉, 무 순서로 넣고 볶는다.
3. 2에 가다랑어포 육수, 청주, 간장, 다진 생강을 넣고 뚜껑을 닫아 익을 때까지 삶는다.
4. 불을 일단 끄고 고형카레를 녹여 넣는다. 다시 불에 올리고 한 번 끓인다.

햇우엉밥

재료(2~3인분)
햇우엉 … 1/2개
쌀 … 2홉분
청주 … 1큰술
소금 … 1작은술
산초나무순 … 취향에 따라

만드는 법
1. 햇우엉은 깎아썰기 한다.
2. 밥솥에 씻은 쌀, 청주, 소금, 햇우엉을 넣고 2홉분 눈금 위치까지 물을 넣고 짓는다.
3. 밥이 지어지면 다진 산초나무순을 섞는다.

5월 병에는 '아스파라거스'가 효과적?

모두가 움직이기 시작하는 4월. 시작은 의기양양하지만, 한 달이 지나 5월 중순이 되면 조금 힘이 빠지죠.

이른바 5월병 계절입니다. 이런 조금 피곤해지기 쉬운 4월, 5월에 추천하는 야채가 있습니다.

그것은 아스파라거스입니다. 아스파라거스에 함유된 아스파라긴산은 영양 드링크에도 첨가되는 영양소로 피로회복의 대명사. 다른 야채에 비해 조리하기 쉽고 먹기 좋은 점도 반갑죠.

영양만점 아스파라거스를 고르는 법

신선한 아스파라거스는 자른 단면이 싱싱하고, 굵고 곧은 일직선이므로 이러한 것을 고르도록 합니다.

아스파라거스는 단단한 흙을 뚫고 점점 위로 자라는 에너지를 가진 야채입니다.

야채는 수확 후에도 한동안은 자신의 수분으로 계속 성장합니다.

슈퍼에서 봤을 때 조금 굽어진 아스파라거스는 수확 후에 옆으로 눕혀진 상태로 있었는데, 위로 뻗고 싶어서 굽어졌을 가능성이 높습니다. 보다 효과적으로 아스파라거스의 파워를 활용하려면 굽어진 것은 피하는 것이 좋습니다.

아스파라거스가 슈퍼에 진열될 정도로 굵게 성장하는 데는 4~5년의 시간이 필요합니다. 우리도 무언가를 시작하고 궤도에 오르기까지 수년이라는 시간이 걸리듯, 아스파라거스도 열심히 성장하는 것입니다.

만약 굵고 맛있는 아스파라거스를 샀다면, 단면 부분을 조금 잘라내고 밑 3cm 부분의 껍질이 조금 단단한 부분을 가볍게 필러로 벗기고 조리하면 먹기 좋아집니다.

저는 자주 프라이팬에 소량의 물과 소금을 넣고 가볍게 쪄서 구워 먹습니다.

화이트 아스파라거스의 경우는 초록색보다도 딱딱하고 조금 맛이 강해서 느긋하게 불에 익히고 먹을 필요가 있는데, 기본적으로 같은 순서로 손질하고 먹을 수 있습니다.

하얀 색이라서 초록색의 아스파라가스와 다르다고 생각하겠지

만, 사실은 같은 것! 초록색 아스파라거스에 햇빛을 받지 않게 하고

기르면 화이트 아스파라거스가 됩니다.

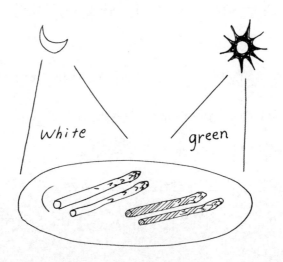

'옥수수심'으로 여름 '콘소메' 단식

버리기 마련인 야채의 껍질이나 자투리를 모아서 물에서 보글보글 끓이면 야채의 맛이나 단맛이 응축된 '야채 육수'를 만들 수 있습니다.

야채의 영양소는 물에 녹아나오는 성분도 많아서 그 특성을 이용하면 '맛있게, 아름답게'를 실현할 수 있습니다. 특히 야채의 껍질 부분에 많이 함유된 피토케미컬은 열에도 강해서 삶아내는 것이 이상적.

하지만, 요리책에 있는 그대로 야채육수를 만들려면 어느 정도의 여유가 필요하죠. 많은 야채의 자투리를 모으는 것도 요리를 자주 안 하는 분에게는 조금 힘들지도 모릅니다.

"해보고는 싶은데, 더 간단하게 할 수 없을까요?" 그렇게 생각하는 분에게는 놀이 감각으로 할 수 있는 '손쉬운 야채육수'를 권하고 있습니다.

여름에 제철을 맞이하는 '옥수수 심'으로 육수를 내는 방법입니다.

'옥수수 육수'로 된장국

옥수수 심은 놀랄 만큼의 맛있는 육수를 낼 수 있습니다. 이것은 원래 육류에서 육수를 낼 수 없는 채식주의자들 사이에서 탄생한 방법입니다.

방법은 정말 간단합니다. 알을 따낸 옥수수 심 1개를 3~4등분으로 잘라 물에서 보글보글 삶습니다. 투명한 물이 연한 노란색이 되면 OK! 은근히 단맛이 나는 된장국을 만든다면 '백된장'과 잘 맞습니다.

콘수프를 만들 때도 심과 같이 삶으면 단맛이 더합니다.

이러한 야채 육수는 제빙기에 넣고 얼리면 사용할 때 편리합니다. 사용하고 싶은 만큼 꺼내서 사용할 수 있어서 휴일에 만들어놓을 것을 추천합니다.

옥수수는 당질이 대부분인데 미용에 없어서는 안 될 비타민을 함유하고, 그 중에서도 대사와 관계가 깊은 비타민 B군의 파워를 기

옥수수 육수 레시피

옥수수 육수 된장국

재료(2인분)
〈옥수수 육수용〉
옥수수 심 … 1개
물 … 400ml
〈된장국 재료〉
두부 … 1/2모
백된장 … 1큰술
옥수수 알 … 조금

만드는 법
1. 옥수수 심을 3등분하여 물을 넣은 냄비에 가라앉히고 천천히 끓여 육수를 낸다.
2. 삶은 물이 연한 노란색이 되면 두부, 된장을 넣고 맛을 낸다.
3. 취향에 따라 옥수수 알을 넣는다.

옥수수 육수밥

재료(2인분)
옥수수(통째로) … 1개
쌀 … 2홉분
소금 … 1작은술

만드는 법
1. 생 옥수수는 3등분으로 자르고 칼로 알을 잘라낸다.
2. 쌀을 씻고 밥솥에 쌀, 1의 옥수수 알과 심, 소금을 넣는다. 2홉분의 눈금까지 물을 넣고 짓는다.
3. 밥이 지어지면 심을 꺼내고 가볍게 섞는다.

대할 수 있습니다.

1년 내내 나오는 야채와 달리 여름의 짧은 시기밖에 즐길 수 없는 야채이기 때문에 꼭 한번 맛보시기 바랍니다.

'셀러리 육수'로 냄새 제거

옥수수 심 이외에 낱개로 육수를 내기 쉬운 야채는 '셀러리'입니다.

셀러리는 양식에서 사용하는 부용(Bouillon)을 만들 때 없어서는 안 될 야채이고, 독특한 향은 같이 삶는 식재료의 냄새를 없애주기 때문에 편리합니다. 그 향성분은 두통을 완화하고 릴렉스 효과도 기대할 수 있다고 합니다.

이것 역시 만드는 방법은 간단. 버리는 '셀러리 잎' 부분을 삶아서 만듭니다. 삶은 물이 연한 황녹색이 되면 완성입니다. 조림 요리에 넣고 풍미를 더하거나 생선, 닭고기를 찜구이할 때 사용하면 일품입니다.

부용 : 주로 프랑스 요리에서 스프의 베이스로 사용하는 고기와 향미 야채에서 나온 즙

셀러리 육수 레시피

셀러리 육수의 서양풍 샤브샤브

재료(2인분)
〈셀러리 육수용〉
셀러리 … 1~2개
물 … 800ml
〈샤브샤브 재료〉
돼지고기 얇게 썬 것 … 150g
소금 … 1작은술
알머스터드 … 취향에 따라

만드는 법
1. 셀러리 잎을 손으로 찢어 물을 넣은 냄비에 넣고 천천히 삶아서 육수를 낸다.
2. 끓은 셀러리 육수에 소금을 넣고 얇게 썬 셀러리 줄기, 돼지고기를 살짝 담가서 익힌다.
3. 취향에 따라 알머스터드를 찍어서 먹는다.

셀러리 육수의 완탕 수프

재료(2인분)
셀러리 육수 … 400ml(만드는 법은 위와 동일)
닭육수(과립) … 1큰술
셀러리 줄기 … 취향에 따라
완탕 … 먹기 좋은 개수
후추 … 취향에 따라

만드는 법
1. 끓인 셀러리 육수에 닭육수, 완탕, 얇게 썬 셀러리 줄기를 넣는다.
2. 완탕이 뜨면 후추로 간을 한다.

'식욕의 가을'은 다이어트의 계절

　제 경험상 식욕의 가을만큼 '슈가 프리 라이프' 실현에 알 맞는 계절은 없습니다. 왜냐하면 가을은 농후한 단맛이 나는 야채 과일이 제철을 맞이하는 시기이기 때문입니다.

　가을은 단호박, 고구마, 연근, 포도, 복숭아 등 원래 단맛이 있는 야채 과일들이 가장 단맛이 강해지는 계절입니다. 여름 더위로 지친 몸을 치유해줄 것 같은, 이러한 자연의 단맛을 확실히 혀에 기억시키는 것이 다이어트의 지름길이 되기도 합니다.

　진한 것을 먹으면 더 진한 맛을 원하게 되듯, 단 것도 익숙해지면 더 단맛을 원하게 됩니다.

　진한 맛이라고 하면 '소금맛' 같은 것을 생각하게 되는데, 사실은 '단맛'에도 진하고 연함이 있다는 것을 이해해두는 것이 중요합니다. 그러므로 단맛이야말로 과일을 통해서 내추럴한 맛을 얻고, 그 연한 맛에 뇌가 익숙하도록 할 필요가 있습니다.

단 맛을 원하는 진짜 이유는?

"단 것을 끊을 수가 없어요." 하고 고민하는 분이 많은데, 끊을 수 없는 원인의 대부분은 정제된 백설탕 등 혈당치의 급격한 상승과 하강 때문입니다. 우리 몸은 혈당치의 오르고 내림이 급하면 급할수록 더 단 것을 원하게 되는 구조라고 합니다.

하지만 단 것을 먹으면 뇌 속에서 도파민이라는 물질이 작용하여 '행복함' 을 느끼기 쉽기 때문에 완전히 끊기란 좀처럼 어렵습니다. 단 것은 마음에 여유를 가져다주는 것이기도 하니 잘 친해지는 방법을 생각하는 것이 중요합니다.

우리가 단맛을 원하는 것은 과일에서 영양소를 섭취하도록 미각이 발달했기 때문이라는 설이 있습니다.

이 설이 사실이라면 몸에 필요한 영양소를 함유한 야채나 과일이 미각과 몸을 만족시켜주므로써, 나도 모르게 뭔가 특별히 좋아하는 것도 아니면서 입이 심심해서 먹게 되는 단맛 디저트와도 헤어질 수 있습니다.

가을은 '단맛 대체 다이어트'의 기회

어떻게 소재의 단맛으로 미각을 만족시키느냐 하면, 단 것이 먹고 싶어졌을 때 과자가 아니라 단맛이 나는 야채나 과일을 먹는 것으로 대체하는 것입니다.

밤에 단 것이 먹고 싶어졌다면 느긋하게 시간을 투자해서 찐 단호박, 고구마, 포도, 복숭아 이러한 단맛을 혀에 기억시켜줍니다.

그렇게 하면 '자연의 단맛'에 감동하게 될 것입니다. 이러한 감동 체험의 반복이 크면, 어느새 야채 과일에서 단맛을 섭취하도록 스스로 변화합니다.

가을은 단맛이 나는 과일이 많기 때문에 돼지고기 생강구이에 사용하는 미린 대신 배를 갈아서 사용하는 등 조미료 대신에 사용하는 것도 좋습니다.

하지만 과일, 단호박이나 고구마류도 과식은 당질의 과잉 섭취가 되기 때문에 주의가 필요합니다.

또한 여기서 전하고 싶은 것은 소재의 단맛을 알기 위해 일상생활에서 단 디저트를 절대로 먹으면 안 된다는 것이 아닙니다.

소재의 단맛을 아는 것은 자기 내부의 단맛 감도를 올려서 보다

양질의 것을 고르는 힘을 기르기 위한 것입니다.

줄을 서서라도 반드시 사고 싶어! 라고 생각할 수 있을 만큼 해마다 특산품 소개 잡지에 랭크인 할 만큼 맛있는 것이나, 아니면 자기가 진심으로 맛있다고 자신 있게 말할 수 있는 디저트를 먹도록 합시다.

단 것일수록 선택하는 힘이 필요합니다. 단 것은 행복의 맛. 한 번 기억하면 끊을 수 없습니다.

그렇기 때문에 소재의 단맛을 느끼고 섬세한 맛의 차이를 느낄 수 있는 혀로 단련시키고, 자기 안에서 기준을 확실히 만들어 항상 양질의 것을 선택할 수 있는 혀를 길러 나가야 합니다.

가을의 미각을 즐기는 레시피

포도를 이용한 농후한 소스

재료(2인분)
보라색 포도(껍질째) ⋯ 150g
발사믹 식초 ⋯ 20ml
간장 ⋯ 1큰술
버터 ⋯ 10g

만드는 법
1. 반으로 잘라 씨를 제거한 포도, 발사믹 식초, 간장을 믹서에 넣고 섞는다.
2. 가열한 프라이팬에 버터와 1을 넣고 약한 불로 졸인다. 걸쭉해지면 완성.

단호박 빵가루 구이

재료(2인분)
단호박 ⋯ 1/4개 (150g)
올리브오일 ⋯ 30ml
건조 빵가루 ⋯ 적당량
파슬리 ⋯ 취향에 따라
스위트 칠리소스 ⋯ 적당량

만드는 법
1. 단호박은 먹기 좋은 크기로 잘라 15~20분 정도 찐다. 그 사이에 건조 빵가루를 프라이팬에 기름을 두르지 않고 볶아서 노릇해지면 불을 끈다.
2. 열을 식힌 단호박을 용기에 넣어 올리브오일에 담고 볶은 빵가루를 묻힌다.
3. 2를 토스트기에 넣고 가볍게 탈 정도로 굽고 칠리소스, 파슬리를 뿌린다.

겨울에 몸을 윤기있게 하려면 '순무'

겨울은 건성피부로 고민하는 분이 많은 계절. 저는 기본적으로 1년 내내 건성피부여서 겨울은 특히 여러 가지 대책이 필요합니다. 한때는 입가에 생기는 팔자주름이 무서워서 '많이 안 웃는 주간' 따위를 생각하기도 했습니다.

겨울 내내 계속 웃지 않는다는 것은 도저히 불가능하기 때문에 몸 안쪽부터 개선이 필요합니다.

물을 억지로 마시기보다는 겨울야채

겨울에는 건조한 피부를 지키고 감기 예방을 위해 좋은 녹황색 야채를 먹을 것. 단호박이나 당근 등 베타카로틴을 많이 함유한 야채와 양질의 오일을 같이 먹는 것을 추천합니다.

그리고 하나 더 필요한 것이 자주 수분을 보급하는 것입니다. 사람 몸의 약 60%는 수분으로 이루어져 있어서 잘 보급하지 않으면 바깥의 피부까지 촉촉해질 수 없습니다.

특히 겨울은 낮은 기온으로 여름보다도 목마름을 느끼지 않기 때문에 수분 보급이 잘 안 되어 몸의 수분량이 부족해지는 경우가 있습니다.

그렇다고 해도 추운 겨울에 많은 물을 마시는 것은 어렵습니다.

그래서 우리를 도와주는 것이 '무', '순무'를 비롯한 수분량이 많은 겨울 야채. 특히 무는 갈아 보면 알 수 있듯 꽤 많은 수분이 있습니다.

이러한 야채를 먹으면 피부에 수분을 보급할 수 있습니다. 더욱이 무, 순무의 수분은 피부를 촉촉이 해줄 뿐만 아니라 차가운 공기로 상하기 쉬운 목도 적셔줍니다.

겨울은 뿌리야채류가 달게 변하는 계절. 순무와 무는 생으로 먹어도 맛있을 뿐만 아니라 가열하면 잃게 되는 비타민 C도 보급할 수 있습니다.

무 조리법은 190페이지에 소개하겠습니다.

여름에 겨울야채를 먹는 것이 새로운 상식!

봄 여름 가을 겨울의 제철야채에 대해 어느 정도 이미지가 잡혀 간다면 이번에는 자신에게 맞도록 조정해봅시다.

'당근, 감자, 토마토, 오이, 가지, 피망, 토란, 양파, 대파, 양상추, 배추, 양배추, 무, 시금치'.

이 야채들은 1년 내내 슈퍼에 진열되어 있죠?

이것들은 '지정 야채'라고 불리는 14종류입니다.

우리가 많이 먹는 식품이기 때문에 정부에서 정한 야채들입니다. 지정야채를 해마다 생산해주는 산지도 정부가 정하고, 풍작이 되어 가격이 내려간 해는 다음 해도 야채를 계속 생산해주도록 가격이 떨어진 만큼 나라가 보상을 하는 시스템으로 되어 있습니다.

이 지정야채로 '제철야채'를 판별하기는 어렵지만 고마운 면도 있죠.

예를 들어 카레에는 당근, 감자를 사용하는데, 당근은 겨울야채

이므로 겨울철에만 유통한다고 하면, 봄부터 가을에는 당근이 없는 카레가 됩니다. 따라서 지정야채 시스템은 우리에게 이런 종류의 야채를 풍부하게 해줍니다.

앞서 여름에는 더위를 극복하기 위한 에너지를 가진 여름야채를 먹는 것이 바람직하다고 설명하였습니다. 하지만 반드시 그렇지 않는 경우도 있어서 이럴 때는 '제철야채' 보다도 이렇게 1년 내내 유통되는 '지정야채' 가 도움이 됩니다.

에어컨으로 차가워지는 여름은 몸을 따뜻하게 하는 야채

이제까지 설명해온 바와 같이 영양적인 면을 중요시한다면 여름에는 여름, 겨울에는 겨울의 제철야채를 먹을 것을 추천합니다.

하지만, 더운 여름에 수분 보급도 하고 많이 먹으면 좋은 것이 싱싱한 여름야채라는 생각은 옛날 이야기. 현대의 라이프 스타일은 에어컨이 빵빵한 방에서 지내는 일이 많죠.

아침 회사에 도착했을 때는 시원한 것이 좋은데, 장시간 책상에 앉아서 일을 하고 있으면 '시원하다' 가 점점 '춥다' 로 변하고, 그것이 쌓이면 여성의 적 '냉증' 으로 이어져서 한여름의 눈사람 같이 됩니다.

여름에는 오이, 가지, 토마토 등 칼륨을 많이 함유하여 몸을 안쪽부터 시원하게 해주는 야채가 메인입니다. 이러면 에어컨으로 차가워진 몸에 부채질을 하게 될 수 있습니다.

그러므로 여름에 시원한 환경에서 장시간 일을 하는 사람은 겨울에 제철을 맞이하는 뿌리야채류를 먹고 몸을 안쪽부터 케어 할 것을 권합니다.

1년 내내 유통되고 있는 것은 당근, 무, 연근 등 흙 속의 식품이 메인인데, 이것들을 익혀 먹으면 몸을 냉증에서 지킬 수 있습니다.

그 외에는 마늘, 양파 등 몸의 순환을 도와주는 야채, 비타민 E를 함유한 단호박, 참깨 등도 좋습니다.

자기 라이프 스타일에 맞추는 것이 최고

하지만 머리로는 이해하고 있어도 역시 제철에는 제철의 맛있는 야채를 먹고 싶죠. 그럴 때는 매일 스케줄에 맞춰서 생각해갑니다.

에어컨을 튼 방에서 일을 할 경우가 많을 때는 여름야채를 불에 익히고 먹습니다. 라따뚜이(Ratatouille) 같은 이미지죠. 휴일에 야외에서 하루 종일 활동한 날에는 차가운 오이에 젓가락을 꽂고 과감하게 먹어주십시오.

그리고 '여름야채' × '몸을 따뜻하게 하는 야채' 를 믹스하는 것도 도전해볼 만합니다. 저는 몸을 따뜻하게 해주는 야채의 대표격인 생강과 여름야채 오크라를 조합한 수프를 자주 만듭니다. (레시피는 115페이지에 소개).

잘게 다진 오크라를 닭육수로 조리면 녹말을 넣은 것 같이 걸쭉해지고, 거기에 다진 생강과 닭완자를 넣으면 맛있고 많이 따뜻해집니다.

중요한 것은 기본 '스타일' 이나 정보에 얽매이지 않고 잘 알아보고 조금씩 자신의 라이프 스타일에 맞춰서 자유롭게 조정하는 것입니다.

밸런스 미녀는 '잎 · 열매 · 뿌리'로 생각한다

아름다움으로 가는 지름길은 역시 제철야채를 잘 선택하고 그 계절에 맞는 것을 먹는 것인데, 사는 지역이나 스케줄에 따라 잘 안될 수도 있습니다.

그럴 때는 제철야채의 특징을 크게 '잎' · '열매' · '뿌리' 3가지로 나누고 대략적으로 사용하여 밸런스를 잡는 것이 좋습니다.

잎야채 → 소송채, 시금치, 양상추, 양배추, 배추 (겨울~봄)

열매야채 → 토마토, 오이, 가지, 피망 (여름)

뿌리야채 → 당근, 무, 연근, 우엉, 고구마 (가을~겨울)

20대는 잎야채, 60대는 뿌리야채에 치우치기 쉽다?

제가 대학에서 실시한 '제철야채와 미용의 관계'를 소개하는 강좌에서는 "다이어트를 생각하면 일단 샐러드!"라고 이야기하는 20대 여성이 많았습니다.

한편, 60대 이상 여성분들에게 강좌를 했을 때는 역시 '조림' 등에 사용하는 뿌리 부분의 야채를 많이 먹는다는 이야기를 했었습니다.

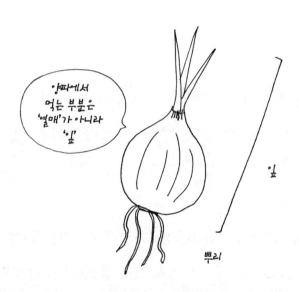

20대 여성이 '야채'라는 말을 듣고 떠올리는 '샐러드'. 샐러드로 섭취하는 야채는 양상추나 양배추 등 '잎' 부분이나 오이, 토마토, 등 '열매' 부분에 치우치는 경향이 있습니다. 철로 말하자면 봄~여름에 치우치게 됩니다.

또 중년의 여성이 '야채'라고 떠올리는 '조림'. 조림에 자주 사용하는 '뿌리' 부분은 연근, 당근, 무, 우엉 등 일본식 반찬에서 자주 볼 수 있는 것이 많습니다. 계절로 말하자면 가을~겨울에 치우치게 됩니다.

야채는 하나하나가 가지고 있는 영양소가 다른 것은 물론, '잎', '열매', '뿌리'를 하나하나 각 야채의 계절에 맞춰보면 알 수 있듯이 몸에 대한 영향도 달라지기 때문에 편식하는 것은 바람직하지 않습니다.

아침에 잎야채를 먹었다면 점심은 열매야채, 밤은 뿌리야채를 메인으로 하려고 의식해보는 것도 간단하게 밸런스를 잡는 방법입니다. 또한 감자나 고구마류, 버섯류도 의식하지 않으면 잊어버리기 때문에 적극적으로 활용해 봅시다.

계절에 따라 맛을 '밀당' 한다

"겨울 당근은 달다."

"그래서 조림을 할 때는 평소보다 미림의 양을 줄이는 것이 좋다."

이것은 제가 존경하는 시니어 야채 소믈리에 선배님이 가르쳐주신 내용입니다.

제철 시기의 당근과 그렇지 않은 시기의 당근을 동시에 먹고 비교할 수는 없지만, 기억 속의 당근 맛을 비교해보면 분명히 더 단 것을 알 수 있습니다.

당근뿐만이 아닙니다. 무도 시금치도 배추도 겨울에 생생해지는 야채들은 모두 단맛이 납니다.

그 이유는 우리가 추운 겨울에 몸을 지키기 위해 옷을 많이 껴입는 것과 같습니다. 겨울에 철을 맞는 야채들은 추위에 얼지 않도록 자신의 '당도'를 높입니다. 그래서 겨울에 먹는 당근은 답니다. 이것은 다른 겨울야채들도 같습니다.

'요리' 보다 '조리' 가 중요한 이유

즉, 겨울에 철을 맞이하는 야채가 달다는 것은 예를 들어 조림을 만들 때 미림이나 설탕 양을 줄여도 야채의 단맛과 맛을 충분이 낼 수 있다는 것입니다.

이렇게 조미료를 조절하면 확실히 미각이 연마되고, 설탕도 적게 사용하여 요리할 수 있기 때문에 몸에도 좋습니다. 겨울에 생각이 나면 시도해보세요.

제철 야채를 먹는 것은 소재 원래의 '단맛' 과 '맛있는 맛' 을 아는 것입니다.

'요리' 보다 '조리' 가 중요합니다. 소재의 맛을 끌어낼 수 있다면 손이 가는 요리는 할 수 없어도 됩니다.

'삶다', '굽다', '찌다', '볶다' ... 혹은 생으로 먹을 수 있는 야채 라면 '자르기' 만 해도 사랑이 가득한 음식이 됩니다.

제 5 장

야채 미녀는
자신도 주변도 빛나게 한다

아름다운 사람은 편의점 음식도 사랑한다

"심야에 귀가해 슈퍼가 닫혀 있으므로 편의점에 가요."

"도시락을 만들 수 없어서 편의점 밥을 사 먹어요."

사랑과 비슷할 정도로 많은 사람이 고민하는 것이 '편의점 음식과 사귀는 방법'입니다.

가공식품은 자기가 직접 요리해서 만드는 것과 달리 보존이나 위생 면에서 어쩔 수 없이 첨가물이 들어가거나 조리과정도 많이 거치기 때문에 영양소가 감소한 상품이 있을 수 있습니다.

그 사실을 어느 정도 알고 있기 때문에 편의점 음식에 부담감을 느끼는 사람도 적지 않은 것 같습니다.

편의점 식재료에 '조리하지 않는 것'을 더한다

그러한 사람에게 추천하는 것은 '편의점 식재료 + α' 방식입니다.

[편의점 식재료 + α 예]

· 편의점 샌드위치 + 스무디 또는 콜드프레스 주스

· 편의점 샐러드 + 요거트

· 편의점 주먹밥 + 집에서 삶은 달걀, 귤, 바나나

· 편의점 반찬 + 집에서 지은 잡곡밥

편의점 음식을 비관하는 것이 아니라 조리하지 않은 것, 영양가 있는 것을 보충하는 것을 권합니다.

가장 간단한 것은 출근할 때 집에서 야채 과일을 가지고 가는 것입니다. 귤, 바나나라면 비닐봉지에 넣어 들고 다닐 수 있습니다. 작은 용기에 방울토마토, 포도, 딸기 등을 넣고 가는 것도 손쉽게 비타민을 보충할 수 있는 방법입니다.

제대로 된 '도시락'일 필요는 없습니다.

심야 귀가 때문에 편의점 도시락과 반찬에 의지하고 싶은 분은 밥은 잡곡이나 현미를 넣어 집에서 짓고, 반찬을 편의점에서 구입하거나 통조림으로 하는 것도 좋습니다.

편의점의 샐러드나 너무 삶은 야채에는 영양이 거의 없다는 얘기도 있습니다.

수용성 비타민, 미네랄이라는 관점에서는 맞다고 생각할 수 있지만, 식이섬유는 야채에서 없어지는 일이 별로 없습니다. 만약 "이 샐러드 야채, 영양이 없는 것 같아 먹는 의미도 없을 것 같아." 하고 의욕이 떨어질 것 같으면 "야채에는 식이섬유가 있잖아!" 하고 외치고 잘 씹어서 먹어보세요.

그것만으로도 아름다움을 만들기에는 큰 출발입니다.

야채에 대한 배움이 깊어지면 감사하는 마음도 깊어진다

야채에 대해 배움으로써 일어나는 큰 변화는 야채나 편의점 밥을 비롯하여 모든 것에 '감사의 마음' 이 생긴다는 것입니다.

우리가 평소 접하고 있는 것 하나하나에 만든 분들의 마음이 담겨져 있습니다.

야채라면 야채를 만든 농가 분들의 마음이 담겨 있습니다. 씨를 뿌리고, 수확할 때까지의 기간은 종류에 따라 수개월 걸립니다. 햇

볕이 뜨거운 날도, 비바람이 부는 날도, 매일 밭에서 일하면서 결실을 기다립니다. 무사히 수확하는 경우가 있다면, 태풍으로 수확 직전에 피해를 보는 경우도 있습니다.

만약 지금, 예전의 저와 같이 뭔가 하나의 야채를 특화한 '○○만 다이어트'를 강행하려고 하는 사람이 있다면, 야채가 만들어지는 과정을 조금만 떠올려보십시오.

농사짓는 사람들이 시간과 노동을 투자해서 기르고, 자기 자식처럼 소중하게 여기는 야채를 "아름다움의 기준처럼 먹어도 좋은 걸까?" 하는 것입니다.

역시 맛있게 즐겁게 감사하며 먹는 것이 만들어주신 분들에 대한 보답이 아닐까요?

오가닉 야채에 너무 고집하지 않는다

"안심, 안전이 아니라 좋아하는지, 싫어하는지를 생각합시다."

이것은 저의 은사님이시고 일본에서 3번째로 오가닉야채 검사자격을 취득하신 후지이 아쯔오(藤井淳生) 선생님의 말입니다.

최근에는 오가닉에 대한 관심이 높아져서 '오가닉 야채는 안전'하다고 주장하는 사람도 많지만, 반드시 그렇다고 할 수 없습니다.

예를 들어 농약을 사용하지 않는 경우, 일반적으로 농약(살균제, 곰팡이 방지제)을 사용함으로써 제거되는 '곰팡이'가 남게 되고, 곰팡이 독이 만들어지는 것을 컨트롤할 수 없을 가능성이 있다고 전문가들은 말하고 있습니다.

일본은 매우 습도가 높은 나라입니다. 기후 면에서 생각하면 어쩔 수 없이 곰팡이가 남기 쉽습니다. 지역에 따라 살균제 등 농약을 사용할 수밖에 없습니다.

또 농약을 사용하지 않는 경우, 야채가 병에 걸리는 등 수확량이 크게 줄게 되어 우리 생활에 지장을 초래하는 경우도 생각할 수 있습니다.

그러므로 "오가닉 야채라서", "농약을 사용하고 있어서" 어떻다고 일률적으로 말할 수가 없습니다.

자기 속에 기준을 갖고 '선택력'을 기른다

오가닉이라고 해도 유기농 재배, 자연농법 등을 비롯한 여러 농법이 있고, 농약을 전혀 사용하지 않는 곳도 있으며, 그렇지 않은 곳도 있습니다. 토지가 바뀌면 햇빛이 비추는 방식이나 흙이 다르기 때문에 당연히 여러 농법이 있습니다.

무언가 하나를 가지고 좋다, 나쁘다를 판단하는 것은 매우 어렵습니다. 그래서 실제로 자기가 배우고 지식을 얻으면서 선택하는 것이 중요합니다.

보다 자세하게 배우고 싶은 분은 "앞으로 야채를 먹는 방법"(아오야마, UN대학교앞 농가직매장 남자야채부, 겐토샤(青山·國聯大學前 ファーマーズマーケット 男子野菜部, 幻冬舍)라는 책에 알기 쉽게 게재되어 있으니 읽어보십시오.

최근에는 마켓이나 시장에서 야채를 만드는 분과 이야기하면서 구입할 수 있는 곳도 많아져서 '어떤 야채를 살까' 보다 '누구에게서 살까' 하는 쪽으로 의식이 바뀌고 있습니다. '오가닉 야채' 는 모양도 크기도 갖가지고 생산하는 사람의 개성이 강하게 나타납니다. 저는 이러한 것들을 특별한 때에만 사고 평소 생활에서는 오가닉 이외의 야채를 즐깁니다.

　앞으로는 인터넷 정보에 놀아나는 것이 아니라 현재 상황이나 재배하는 분의 마음을 알고 자기가 정보를 찾아보고 '자기 나름대로의 판단기준' 을 가질 것을 권합니다. 자기 자신이나 소중한 사람에게 어느 쪽이 좋은지 생각하는 재료를 가지고 있는 분이 새시대의 미인이라고 저는 생각합니다.
　반드시 '당신' 안에서도 답을 찾아보십시오.

남자친구를 3배 멋지게 하는 '야채 대작전'

야채에 대해 배우면 자신의 아름다움을 만들기만 하는 것이 아니라 사랑이 이루어진 후에도 남자친구의 건강을 챙길 수 있습니다.

'봄야채로 디톡스 강좌' 등 제철 야채와 미용을 주제로 한 강좌에는 의외로 남성도 많이 참여하고, 혼자 살아 야채를 섭취하는 방법에 대해 고민하고 있다는 이야기를 듣게 됩니다. 야채 부족으로 고민하는 것은 여성만이 아니었던 거죠.

만약 사랑하는 사람이 이런 고민을 안고 있다면 '몰래 야채 대작전'을 펼쳐보세요. 중요한 포인트는 '몰래' 입니다.

제 강좌를 듣는 남성분들의 상담 중 가장 많은 것이 "여자친구, 부인이 건강을 신경 써주는 것은 고마운데, 매 끼니마다 야채뿐이어서 외식으로 해소해버려요." 하는 것. 무슨 일이든 적당하게 하는 것이 중요합니다.

술안주로 야채를 먹게 하는 요령

건강을 내세운 메뉴보다는 조금 술안주가 될 수 있는 분위기로 식탁에 등장시키는 것이 좋습니다. 남성은 여성과 비교해서 근육량이 많기 때문이 단백질을 더 필요로 합니다. 야채와 잘 믹스시켜서 맛이 깊고 만족감이 있는 메뉴를 만들면 좋죠. 레시피는 182페이지에 소개하겠습니다.

또 '술 안주'로 하기 위해서는 조금 맵게 만든다는 점도 포인트가 됩니다. 예를 들어 여성은 단호박이나 고구마를 좋아하는 분이 많은데, 단맛이나 따끈따끈한 야채를 별로 안 좋아하는 남성도 많은 것 같습니다.

제철 시기에 같이 즐기고 싶다면, 단호박의 김치된장국, 단호박 튀김에 칠리소스 뿌리기, 카레가루 사용하기 등 '매운 맛'과 같이 하면 먹기가 쉬워집니다.

김치의 고춧가루에 함유된 캡사이신은 땀을 촉진하고 다이어트에도 도움을 줍니다.

자신도 상대방도 '아름답게' '건강하게' 한다

여러 사람이 식사할 때는 거기에 커뮤니케이션이 생깁니다. 같은 것을 즐기고 공유하는 것에 의미가 있습니다.

개인 상담을 하고 있으면 "더 예뻐져서 내가 좋아하는 사람이 나를 다시 보게 하고 싶어요.", "남자친구가 더 나를 좋아하게 만들고 싶어요." 그래서 식사 제한을 하고 있다는 이야기를 자주 듣는데, 데이트 때 가장 많이 가는 것이 아마도 식당일 것입니다.

먹고 싶은 것을 참고 다이어트해서 사귀게 되었다고 해도, 식사 시간에 무리가 와서 짜증이 난다는 이야기를 듣습니다. 자신의 아름다움과 상대방의 건강, 둘 다 존중하면서 서로 무리하지 않고 즐겁게 식사하고 인연을 깊게 만들었으면 합니다.

그러기 위해서 지금까지 설명해온 '즐겁게, 맛있게, 아름다워' 지는 야채의 섭취 방법을 실천하고, 야채의 매력을 전하는 이미지로 소중한 사람의 식사를 서포트 해보십시오.

야채 대작전 레시피

돼지고기 양배추 매실식초찜

재료(2인분)
양배추 ··· 1/2개
부추 ··· 4개
돼지고기 얇게 썬 것 ··· 150g
매실 장아찌 ··· 2개
마늘 ··· 1쪽
식초 ··· 1큰술
청주 ··· 1큰술
간장 ··· 2큰술

만드는 법
1. 양배추, 부추는 씻어서 먹기 좋은 크기로 자른다. 반 분량의 양배추를 프라이팬에 올린다.
2. 얇게 썬 돼지고기를 양배추 위에 올리고 씨를 제거한 후 가볍게 칼로 다진 매실장아찌, 얇게 썬 마늘을 뿌리듯 얹는다.
3. 남은 양배추, 부추를 올리고 식초, 청주, 간장을 넣고 뚜껑을 닫는다. 중불로 찜구이 한다.

돼지고기와 잎새버섯 버터 폰즈 볶음

재료(2인분)
돼지고기 얇게 썬 것 ··· 150g
잎새버섯 ··· 1뿌리
파 ··· 취향에 따라
버터 ··· 10g
소금, 후추 ··· 조금
폰즈(ponzu) ··· 1큰술

만드는 법
1. 가열한 프라이팬에 버터를 두르고 얇게 썬 돼지고기를 볶고 가볍게 익으면 잎새버섯을 넣는다.
2. 1에 폰즈를 넣고 소금, 후추로 간을 한다.
3. 접시에 담을 때 파를 뿌린다.

남자친구의 숙취에는 '양배추 된장국'

남성뿐만이 아니라 일하는 사람은 누구나 스트레스 해소나 업무상 '과식'과 비슷하게 '과음'도 많을 것입니다.

힘든 숙취를 겪고 있을 때는 '양배추 된장국'이 좋습니다.

양배추에는 비타민 U 라는 위장을 지켜주는 작용을 하는 영양소가 있습니다. 심(芯)에는 잎 부분보다도 비타민 U가 풍부하기 때문에 스트레스가 많고, 바로 위(胃)에 증상이 나타나는 분은 심 부분도 얇게 썰어서 먹는 것을 추천합니다.

스트레스가 위에 부담을 준다고 하는데, 반대로 위가 약하면 스트레스를 쉽게 느끼게 된다고도 합니다. 양배추를 확실히 보급해서 스트레스를 뿌리부터 해독합시다.

돈까스에 양배추를 채썰어 올린 것은 돈까스 기름으로 위에 부담을 주지 않기 위한 베스트 커플 조합입니다.

위의 스트레스를 완화하는 양배추

채썰기한 양배추가 가장 맛있는 시기는 부드럽고 단맛이 나는 봄 양배추가 나오는 초봄. 양배추를 보고 바로 구입해서 "지금 맛있는 시기래요." 하고 남자친구에게 억지로 먹이지 말고 즐겁게 식탁에 올려보세요.

게다가 양배추에는 가열로 잃게 되는 비타민 C도 풍부하므로 채썰기를 한 양배추에서 섭취하여 아름다운 피부 효과도 확인해 보세요.

비타민 U는 삶으면 물에 녹아나오기 때문에 양배추의 영양소를 남김없이 섭취하려면 '냄비채로, 국물채로' 마실 것. 된장국은 가장 효율적으로 양배추를 먹는 방법입니다.

또한 양배추롤을 만들 때도 양배추를 삶은 물에 콘소메나 토마토를 더해서 만드는 편이 몸에는 좋을 겁니다.

술을 마신 다음날은 위장이 약해져 있기 때문에 야채는 가능한 한 가늘게 썰어 먹는 편이 좋고, 속이 많이 안 좋다고 할 때는 일단 재료는 놔두고 국물만 마시고 회복을 기다리는 것이 좋습니다.

숙취가 되면 그 후의 케어가 중요합니다. 2~3일은 마를 갈아서 먹는 등 소화흡수가 좋은 것을 먹는 것이 좋습니다.

시간의 경과가 약을 대신한다는 의미로 '날짜약'이라는 말이 있지만, 저는 컨디션이 안 좋은 날만큼은 몸을 배려하는 것이 중요하다고 생각하고 있습니다. 첫째 날 술을 많이 마시고, 둘째 날 숙취로 힘들었다면, 그 후 이틀간은 의식적으로 몸을 케어 하는 식생활을 했으면 좋겠습니다.

남자친구나 남편분이 업무관계로 숙취일 경우 살며시 만들어서 내밀어보세요. "비타민 U가..."하고 설명하지 않아도 양배추에서 나온 부드러운 단맛으로 마음이 전해질 것입니다.

[질리지 않는 된장국, 3가지 기술]

1. 와일드함이 맛의 비밀

서두를 때는 야채를 부엌가위 등으로 자르고 나서 참기름으로 볶고, 익히는 시간을 단축해서 다음 순서로 넘어갑니다. 양질의 오일도 같이 섭취할 수 있어서 일석이조.

저는 육수팩으로 판매하고 있는 것을 사와서 팩을 찢어 국물용 육수로 사용합니다. 1인분 1작은술 정도를 넣기만 하면 되니까 간단하고 국물의 영양도 섭취할 수 있습니다.

2. 밤에는 콘소메 수프, 아침에는 된장국

권하고 싶은 것은 사용할 야채를 모두 채썰기 하여 물로 삶고, 콘소메로 맛을 낸 포토 푀(pot-au-feu). 사용하는 야채를 모두 채썰기 하여 빨리 익습니다. 밤에 만들고 남으면 다음날 아침에 된장을 풀어 된장국으로 변신! 콘소메와 된장이라는 의외의 조합인데도 절묘하게 어울립니다.

3. 참깨는 '연한 맛'의 지원군

　비타민 E나 세사민 등 노화방지 케어에 없어서는 안 될 성분이 함유된 '참깨'. '연참깨'를 '백', '흑' 둘 다 준비해 두고 된장국을 만들 때 된장과 같이 풀면 좋습니다. 참깨의 감칠맛이 강해서 된장 양도 줄일 수 있고, 연한 맛으로도 할 수 있어서 외식 때 진한 맛으로 먹는 분에게는 좋습니다. 연참깨 이외에는 참기름을 마지막에 1작은술 더해서 향을 즐기는 경우도 있습니다.

　된장국은 '매일 등장한다'고 말할 정도의 일본 전통 요리. 종류의 수가 많으면 많을수록 매일 식탁이 즐거워집니다.

가족의 건강은 '통무'로 이루어진다

169페이지에서 겨울 무는 달다고 설명했습니다. 무는 예를 들어 당근보다도 분명히 길기 때문에 추위에 노출되는 잎 부분과 흙 속에 묻혀있는 부분은 지키는 방법이 달라집니다.

그래서 무를 통째로 사왔을 때는 다양하게 사용할 수 있어서 우리 미각에도 건강에도 반가운 것입니다.

위장약에도 사용하는 무의 성분

흙 속의 부분은 흙으로 인해 따뜻한데, 주위의 벌레들로부터 몸을 지키기 위해 매운 성분을 내보내며 몸을 지키고 있습니다. 이것이 '디아스타제'라고 하는 무에 함유된 소화효소입니다. 위장약에도 사용되고 있습니다.

선술집에서 나오는 계란말이나 꽁치구이에 갈은 무가 곁들여져 있는 것은 단순하게 산뜻하고 맛있어서가 아니라 소화불량을 지켜주는 작용이 있기 때문입니다. 디아스타제의 파워를 살리려면 가열은 NO! 먹기 직전에 갈아야 좋습니다.

가끔 소화를 좋게 하기 위해 간 무를 대량으로 먹으려고 한다는 이야기를 듣는데, 사람에 따라 소화 파워가 너무 강한 경우가 있기 때문에 야채라고 해도 과도하게 섭취하지 않도록 주의해야 합니다.

밖으로 나와 있는 잎의 가까운 부분은 추위에서 몸을 지키기 위해 단맛이 납니다. 그래서 잎과 가까운 부분은 샐러드에 적합합니다.

생각하는 방식에 따라 무의 매력을 통째로 맛보기 위해서는 가로로 잘라서 팔기보다 세로로 자르는 편이 좋을지도 모릅니다.

참고로 꿀무를 만들어본 적이 있으십니까?

감기 예방 & 개선 효과를 기대할 수 있어서 약을 먹을 수 없는 올림픽 선수도 적극적으로 활용한다는 방법입니다. 다음 페이지에서 레시피를 소개하겠습니다.

꿀무 레시피

꿀무

재료(2인분)
무 … 1/4개
꿀 … 무가 잠기는 양

만드는 법
1. 무를 1~2cm 깍뚝썰기 하고 병에 담는다.
2. 꿀을 1이 잠길 정도로 넣고 4시간 이상 담근다. (무의 수분이 나온다)

활용① 벳타라 절임

재료(2인분)
수분이 빠진 꿀무 … 1/4
소금누룩 … 2작은술

만드는 법
수분이 빠진 꿀무를 꺼내서 비닐봉지에 소금누룩과 같이 넣고 가볍게 주무르고, 하룻밤 재운다.

활용② 꿀무차

재료(2인분)
꿀무 즙 … 1큰술
다진 생강… 취향에 따라
뜨거운 물 … 적당량

만드는 법
꿀무 즙 1큰술에 취향에 따라 뜨거운 물, 다진 생강을 넣는다.

남심을 사로잡는 '숙성 감자 샐러드'

남성의 마음을 사로잡으려면 '돼지고기 감자조림'이라는 것은 옛말이 있습니다. 최근에는 '감자 샐러드'를 사랑하는 남성이 많고, TV에서도 특집 프로그램이 방송되거나 선술집 등에서는 일품 감자 샐러드를 메뉴로 하는 가게도 많습니다.

그 정도로 주목도가 높은 감자 샐러드. 사실은 집에서도 간단하고 맛있게 만드는 방법이 있습니다.

그것은 '숙성' 시키는 것. 야채는 가능한 한 구입하고 나서 빨리 먹는 것이 대부분인데, 그 중에는 숙성기간을 둠으로써 단맛이 증가하는 경우가 있습니다.

숙성시킴으로써 단맛이 증가하는 것의 대표가 '감자', '고구마' 그리고 '단호박'입니다. 이것들을 햇빛이 비추지 않는 시원한 곳에 보관해두면 전분이 성숙할 뿐만 아니라 서서히 수분도 빠지고, 익혀서 먹으면 원래 가지고 있는 단맛이나 본래 맛이 응축해서 느껴집니다. 햇빛에 말려서 만드는 '드라이 후르츠', '말린 야채'도 수분이 빠져서 야채 과일의 맛을 2배로 느낄 수 있습니다. 요리의 악

센트로서도 중요하게 활용할 수 있습니다.

숙성시킨 감자는 껍질째로 물에서 소금, 로리에 등 하브류와 같이 천천히 삶거나 오븐으로 구우면 맛있는 맛이 증가합니다. 껍질이 야채의 맛을 잘 가둬주는 것입니다. 껍질째로 야채를 삶을 때의 소금 양은 푸른 채소 등을 데칠 때의 약 2배가 적당합니다. 1ℓ 물에 약 1큰술이 기준입니다.

감자는 가능하면 다른 품종과 블렌드한다

만약 감자를 낱개로 판매하고 있다면 여러 품종을 구입해보세요. 블렌드해서 감자 샐러드를 만들면 맛이 깊어져서 심플하면서도 맛있는 감자 샐러드가 됩니다.

3~4개 든 봉지 감자를 사와서 남은 경우는 얇게 썰어서 채썰기하고 조리거나 삶아서 냉동보관 해두면 좋습니다.

먹지 않고 싫어하는 것은 사랑의 찬스도 놓친다

빨간 오크라, 초록색 토마토, 보라색 아스파라거스, 노란색 주키니, 하얀 가지...

최근 평범한 야채가 아니라 "이건 뭐지?" 하고 나도 모르게 두 번 보게 되는 흥미 있는 야채도 많죠.

하지만 흥미는 있어도 어떻게 먹어야 할지 잘 모르는 야채도 많고, 어쩐지 그냥 지나치게 됩니다. 하지만 색깔은 달라도 노란색 주키니라면 초록색 주키니와 같이 기본적으로 먹는 방법은 같습니다.

다른 점이라고 하면 10페이지에서 설명한 바와 같이 색에 따른 영양소의 차이 등이 있기 때문에 그 색의 특징을 이미지 하면서 조리하는 것이 좋습니다.

'색의 특징'에 주의하고 참신한 야채에도 도전

단, 색 중에서도 주의가 필요한 것이 보라색 야채입니다.

야채의 보라색은 폴리페놀의 일종인 안토시아닌. 종류에 따라서는 가열하면 색이 빠져버리기 때문에 신선한 것이라면 생으로 먹는 것이 바람직한 품종도 있습니다.

예를 들어 '보라색 아스파라거스' '빨간 오크라' 가 그렇습니다. 초록색보다도 부드럽고 생으로도 쉽게 먹을 수 있습니다. 물론 삶아도 되는데, 순식간에 초록색이 되어버리기 때문에 아쉽습니다.

이러한 특징은 처음에는 기억하기 어렵지만, 기본적으로 구입할 때 판매하는 사람에게 '듣고, 사고, 먹고'를 반복하면 기억할 수가 있습니다.

최근에는 이러한 야채를 내는 레스토랑도 많기 때문에 "이건 뭐지?" 하고 생각하면 바로 가게 사람에게 물어보세요. 그렇게 하면 서서히 세계가 넓어져갑니다.

아무튼 처음은 실패해도 됩니다. 한입 먹고 싫으면 다 먹지 않아도 됩니다. 도전해보는 겁니다. 흥미를 가졌다면 다가가 봅니다. 연애도 마찬가지죠. 처음부터 겉모습으로 판단하고 마음의 문을 닫아버린다는 것은 너무 아쉽죠!

어쩌면 자기가 모르는 세계를 보여주는 사람일지도 모릅니다. 야채를 먹지도 않고 싫어한다는 것은 너무나 아쉬운 일입니다.

콜리플라워는 싫어하지만, 로마네스코 브로콜리는 좋아해! 등 다른 품종의 콜리플라워를 통해 야채가 좋아지게 될지도 모릅니다. 참고로 로마네스코 브로콜리는 맛은 브로콜리, 식감은 콜리플라워와 가까운 야채이고 조리법은 둘다 비슷합니다.

어떤 일이든 도전해보는 겁니다. 궁금한 것이 있으면 용기를 내보고 한입 먹어보십시오.

데이트는 100가지의 '맛있다'로 분위기가 고조된다

　우리는 식사를 하고 감동하면 "맛있다."고 말하는데, 지금보다 한 단계 위의 미녀가 되기를 원한다면, 조금 '맛있다'의 표현을 연구해보는 것이 중요합니다.

　'맛있다'도 그 표현 방법은 수없이 많습니다.

　예를 들어 샐러드 하나만 해도

　"정말 아삭아삭해요."

　"드레싱과 절묘하게 맞네요."

　"진하고 술하고 잘 맞는 것 같아요."

　"산뜻하고 질리지 않는 맛이에요."

　느낀 대로 말로 표현함으로써 자기가 어떤 샐러드를 맛있다고 느끼는지, 무엇을 그다지 맛이 없다고 느끼는지 명확해집니다.

　'맛이 없다'고 느낀 경우는 솔직하게 어떻게 맛이 없는지 말로 표현할 필요는 없지만, 마음속에서는 표현해봅니다.

"너무 익어서 흐물흐물해."

"맛이 너무 진해." 등.

'맛있음'을 전하면 과식 방지가 된다

이렇게 자기 감동을 '맛있다'고 한마디로 끝내는 것이 아니라 여러 가지 말로 표현함으로써 자기 취향을 파악할 수 있을 뿐만 아니라 자기가 정말로 좋아서 먹고 있는지를 객관적으로 느낄 수가 있어서 과식 방지가 됩니다.

무엇이든 입에 넣은 순간에 "맛있다."고 입버릇처럼 말하는 것은 자기 감도를 둔하게 합니다.

와인 소믈리에가 한입 마시고 와인의 차이를 알 수 있는 것은 맛을 느끼고 표현하는 작업의 반복과 지식의 양에 의하는 것이라고 합니다.

맛을 정확하게 아는 것은 능력도 재능도 아니고 노력. 연습하고 배움으로써 누구든지 가질 수 있습니다.

'맛있다' 는 말은 재현성이 있다

그리고 명확해진 '맛있다' 는 집에서도 재현하기 쉬워집니다.

외식 때 "이 샐러드 양상추는 아삭아삭하고 맛있어!"하고 감동했다면 가게 주인에게 "이 양상추는 왜 이렇게 아삭아삭해요?" 하고 물어보면 됩니다. 일류 가게일수록 가르쳐주실 겁니다. 그냥 막연하게 "저 레스토랑의 샐러드는 맛있어."하고 기억하고 있는 것보다도 더 의미가 있습니다.

누군가와 같이 식사를 할 때도 마찬가지입니다. 그 요리의 어디가 어떻게 맛있는지, TV 프로 리포터 같이 표현함으로써 상대방과 공유할 수 있는 것이 깊어지고, 풍부한 어휘로 자신의 감동을 전할 수 있는 여성은 매력적입니다. 첫 데이트로 긴장해서 대화가 이어지지 않을 때도 분위기를 부드럽게 해줍니다.

"맛있다." 한 마디로 끝내는 것이 아니라 자기 말로 표현함으로써 같이 있는 사람에게도 기쁨이나 즐거움이 쉽게 전해집니다.

'잘 먹었습니다'는 마음을 담아 전한다

매일 식사로 아름다움을 만들었다면 다음은 그 식사하는 모습에도 아름다움을 담는 것이 중요합니다. 컵이나 그릇을 든 손, 무언가를 집는 손끝, 평소에 얼마나 의식하고 있습니까?

미인은 엄지손가락을 숨긴다

다도나 일본무용에서는 모든 동작을 엄지 외 4개 손가락을 붙이고, 엄지손가락은 살며시 손 안쪽으로 숨기도록 합니다.

손가락이 보이면 아이같이 보여서 보는 아름다움이 반감하기 때문입니다. 그래서 페트병을 들 때는 페트병의 앞면을 붙인 손가락 4개로 지지하고 엄지손가락으로 안쪽을 받치도록 듭니다.

그 외에 뭔가를 주울 때도 검지부터 4개 손가락을 붙이고 엄지를 숨기듯 줍기만 해도 우아함이 증가합니다.

그렇다고 해도 일본의 전통적인 행동을 접하는 것은 쉽지 않습니다. 먼저 식사 중 손끝을 의식해보는 식으로 바꾸는 것부터 시작하는 것이 좋습니다.

식사의 묘미를 알아둔다

또한 다도의 가르침 중에 '잔심(殘心)'이라는 말이 있습니다.

이것은 "조금만 더 이 동작을 하고 싶다."고 마음을 남기듯 마지막 행동을 정중하게 함으로써 실수가 없어진다는 가르침입니다. 인사할 때도 마찬가지로 허리를 한 호흡으로 숙이고 한 호흡 멈추고, 한 호흡 반으로 원래 자세로 돌아갑니다. 상대방에게 아쉽다는 마음이 전해지도록 몸으로 표현하는 것입니다.

마음을 전할 뿐만 아니라 모습도 아름답게 보입니다. 사람의 인상에 남는 것은 마지막밖에 없다고 합니다. 상대방 눈에 자신의 아름다운 모습을 비추는 것은 대접의 하나이기도 합니다.

다도 이미지가 좀처럼 떠오르지 않는다는 분은 누군가가 식사를 사주었을 때 "잘 먹었습니다." 하고 전한 후 "감사합니다." 하고 2~3초 천천히 마음속에서 말하는 것부터 시작해보세요.

식사는 눈이나 혀로 맛보기만 하는 것이 아니라 마음으로 맛보는 것이기도 합니다.

맛있는 소재나 요리를 만들어주신 분, 같이 그 맛이나 기쁨을 나눌 수 있는 사람에 대한 '감사'의 마음을 잊지 않을 것.

그리고 지금, 이 순간 즐겁게 식사할 수 있다는 사실에 '행복함'을 느끼는 것이야말로 먹는 것의 묘미일지도 모릅니다.

소중한 사람과 식(食)을 즐기기 위하여

"사실 지금 좋아하는 사람이 있습니다."

이것은 제가 강연회나 개인 상담을 통해서 가장 많이 듣는 '답' 입니다.

"야채를 배우고 예뻐지고 싶어요!", "다이어트를 성공하고 싶어요!" 라고 말하는 분께 "왜 예뻐지고 싶으세요?" 하고 질문하면, 처음에는 고민하는 분이 90%.

하지만 상담을 통해서 여러 가지 '야채의 매력' 을 전하는 가운데이러한 '답' 을 말해주는 분도 적지 않습니다.

그것은 아마도 '야채를 맛있게 먹는 방법' 을 알고, 자신의 '감동' 을 소중한 누군가에게 전하고 싶어졌기 때문일 것입니다.

맛있는 것을 먹으면 소중한 사람의 얼굴을 자연스레 떠올리게 됩니다.

문득 옛날의 자신을 뒤돌아보면 저는 항상 제 '아름다움' 을 찾으려고 머리가 가득 찼습니다.

순수하게 맛있는 것을 맛볼 수 없을 뿐만 아니라 같이 식사를 하는 사람에게도 의식이 가지 않았습니다.

"반짝반짝 빛나는 사람이고 싶다."고 생각하면서도 항상 신경질적이고 '인생' 자체도 즐기지 못 했던 것 같습니다.

그랬던 제가 야채의 즐거움을 알고, 서투르지만 배운 지식을 매일 실천함으로써 어느새 '야채' 가 '습관' 이 되었습니다.

아이쇼핑을 하는 것처럼 마켓에서 야채를 보고, 옷장에서 마음에 드는 옷을 고르듯 냉장고에서 양상추를 꺼냅니다.

저에게 있어서 야채를 먹는 것은 '화장' 을 하거나 '입을 옷을 고르는' 것과 비슷하게 행복하고 자연스러운 일이 되었습니다.

이제 야채가 부족하다고 고민하거나 야채를 '이름다움의 기준' 이라고 참고 먹는 저는 더이상 없습니다.

지금은 제 '아름다움' 보다도 야채로 소중한 사람을 행복하게 하고 싶습니다.

저도 상대방도 '웃는 얼굴'이 되는 '야채 습관'을 실현하고 있습니다.

'소중한 사람과 같이 아름답게 산다'

이것이 저의 신념입니다. '즐겁게, 맛있게, 아름답게!'는 이루어집니다.

이 책을 계기로 많은 분의 식사가 보다 즐거워 지고, 어제보다도 오늘, 오늘보다도 내일 '행복'이 업데이트 되어가길!

"미녀와 야채"

'미녀'가 진심으로 '야채'를 사랑할 때, 아름다움의 마법으로 '영원한 아름다움'이 약속될 것입니다.

2016년 1월

나카무라 케이코

[참고문헌 및 취재처]

농림수산성 홈페이지

후생노동성 '건강일본 21'

문부과학성 '일본식품표준성분표 2015년판 (7개정)'

국민생활센터 홈페이지

국립건강 · 영양연구소

식품종합연구소

하다라보 2 로트제약 상품정보 사이트

주식회사 가고메 홈페이지

JA 그룹 후쿠오카 홈페이지

"맛있음을 만드는 '열'의 과학 요리 가열의 '왜?'에 답하는 Q&A" (시바타서점)

"'요령'의 과학 조리의 의문에 답하다" (시바타서점)

"맛있게 건강을 만들다 새로운 영양학" (다카하지서점)

"야채 소믈리에 애용 맛있는 야채교실" (에이출판사)

"앞으로의 야채 먹는 방법" (겐토샤)

"몸에 맛있는 야채 편리수첩" (다카하시서점)

"양배추에도 꽃이 핀다" (고분샤)

"'미각력'을 연마하면 병에 걸리지 않는다 맛박사 트레이닝 교본" (고단샤)

"최신 뇌과학으로 알게 된 오감의 경이" (고단샤)

"영양의 교과서" (신세이출판사)

[Special thanks]

일본야채소믈리에협회 후쿠이 에이지 이사장

시니어야채소믈리에 다카하라 가즈에 님

시니어야채소믈리에 다케다 유키 님

시니어야채소믈리에 니시무라 유우카 님

안심농업주식회사 후지이 아쯔오 선생님

관리영양사 하마구치 유키코 선생님

맛박사 스즈키 류이치 선생님

무사시노코지센케 관휴암 아카바네 모리가즈 선생님

아오이류 아오이 기로크 선생님

셰프 이마바시 히데아키 님

가마쿠라야채농가 가토 코이치 님

'WISH FRESH SALAD' 사카와 아쯔시 님

'Natural Recipes' 구보타 아스카 님

결혼생활 컨설턴트 아쯔오 도모에 님

이미지 컨설턴트 모리모토 노리코 님

카시오페아출판 미즈노 도시야 선생님

디자인 – 미키 도시가즈 (문교도안실)

일러스트 – 스야마 나츠키

카메라맨 – 하나붙이 고우지 (EAT PHOTO)

스타일링 – 사이토 유 (EAT TOKYO)

헤어메이크 – 쯔치야 이쿠코 (FACE-T)

■ 야채 일람

▧ 레시피 색인

미녀와 야채

초판인쇄	2017년 5월 15일
초판발행	2017년 5월 19일

지 은 이	나카무라 케이코(中村慧子)
옮 긴 이	정 성 훈
펴 낸 이	정 동 명
펴 낸 곳	(주)비즈엠디 도서출판 정다와
주　　소	서울시 서초구 동광로 10길 2 덕원빌딩 3층
전　　화	02)3481-6801
팩　　스	02)3481-6805
홈페이지	www.kmpnews.co.kr
디 자 인	김 희 선
교　　열	김 이 슬
인 쇄 소	천일인쇄

출판신고번호 2008-000161
ISBN 978-89-6991-010-3

국립중앙도서관 출판예정도서목록(CIP)

미녀와 야채 / 지은이: 나카무라 케이코 ; 옮긴이: 정성훈.
-- 서울 : 정다와, 2017
208p. 150×225cm

원제표제: 美女と野菜 "ずるいほど" 簡単でおいしい 綺麗な人
の習慣
원저자명: 中村慧子
색인수록
일본어 원작을 한국어로 번역
ISBN 978-89-6991-010-3 93510 : ₩13000

채소[菜蔬]
건강 관리[健康管理]

517.548-KDO6
613.262-DDC23　　　　　　CIP2017011307